新学習指導要領準拠

明日へつなぐキャリア教育ベーシックプラン

埼玉県進路指導・キャリア教育研究会【編】

JN088915

実業之日本社

埼玉県進路指導・キャリア教育研究会　顧問あいさつ

　この度，埼玉県進路指導・キャリア教育研究会令和２年度研究紀要を発刊する運びとなり，堀川博基会長及び田口光一専門委員長を始め，研究推進委員や専門委員の皆さんにおかれましては，大変ご苦労の中，研究を推進しひとつのまとまりとして本書の発刊に至ったこと，非常に貴重で有意義なことと考えます。研究の成果を埼玉県内の小・中学校等に知らせ，児童・生徒のキャリア発達を促すキャリア教育が展開されることを期待するとともに，埼玉県の進路指導・キャリア教育の研究や実践等が全国に知れ渡りご指導をいただく機会となることを嬉しく思います。

　ご存じの通り，令和２年は，特別な年でした。新型コロナウィルスの世界的な流行により，緊急事態宣言が発出され，３密（密閉・密集・密接）を避ける等の感染防止策のために，３月当初から５月まで小・中学校等が休業となり，児童・生徒が家庭での待機を余儀なくされ，教育活動ができない状況が続きました。また，研修や研究会の活動等も自粛せざるをえませんでした。このようななか，継続研究であった，研究テーマ「未来を見据え，主体的に生き抜く力を身に付けた児童生徒の育成」の実現に向けた研究を進め，各学校において実践した内容や資料を集めたり，ICT を活用し意見交換をしたり，集まることができる数名の研究推進委員等で議論を交わしたりするなどして，研究を進めて来ました。また，新学習指導要領が中学校での全面実施を迎える令和３年４月までは本書を発刊し，新学習指導要領の趣旨や内容を網羅した，進路指導・キャリア教育を各学校において展開することができるよう，時間を限って研究を進めてきました。

　４ページ以降の田口光一専門委員長の言葉にもありますが，小学校の学習指導要領の特別活動の学級活動の内容に（３）「一人一人のキャリア形成と自己実現」が新設され，小学校から高等学校までの教育活動全体の中で，「基礎的・汎用的能力」をはぐくむというキャリア教育本来の役割が改めて明確にされました。また，特別活動を要としたキャリア教育が推進・発展されることを踏まえ，キャリア教育に関わる様々な活動に関して，学校，家庭及び地域における学習や生活への見通しを立て，学んだことをふり返りながら，新たな学習や生活への意欲につなげたり，将来の生き方を考えたりする活動を行うことができるよう，教材（キャリア・パスポート）等活用することとしています。そこで，本書においては，本研究会としての，キャリア・パスポートの捉え方を示すとともに，キャリア・パスポートを作成・活用する上での支援材料となるよう「キャリア・パスポートへのつながり」を掲載しています。また，「主体的・対話的で深い学び」の視点に基づく授業が展開できるようなポイントや評価のポイントを示すなど様々な工夫が施されています。

　小学校においては，すでに令和２年度から，中学校は令和３年度から新学習指導要領が全面実施されます。是非，本書をご活用いただき，新学習指導要領の趣旨や内容を実現させ，「予測困難な社会」や「Society 5.0」を生き抜いていく力を身に付ける授業の展開の一端となるよう期待しております。最後に，本書の発刊にいたるまで，ご指導いただいた埼玉県教育員会教育局の先生方を始め多くの指導者の先生方，実業之日本社の関係者の皆さんに感謝申し上げます。

2021 年３月
埼玉県進路指導・キャリア教育研究会
顧問　　千代田　栄

埼玉県進路指導・キャリア教育研究会　会長あいさつ

　2020年という1年……，ただ毎日を着実に生きる私たちにとって，心に深く刻まれる1年となりました。日常という生活の営みを激変させ，教育においても今までの価値や意味について，根幹から考え直す機会となった1年でもあります。読みかえれば，教育の真価が問われた1年でもあったのだと思います。

　折しも小学校の新学習指導要領が完全実施され，令和の新時代における教育のイノベーションが進むなか，危惧されている「予測が困難な時代」「厳しい挑戦を続けなくてはならない時代」が圧倒的な勢いで，その姿のひとつを出現させた1年だったのかもしれません。

　このようなタイミングにおいて本書を発表できることに，その果たさなければならない役割の重責と，生徒の生き抜く力育成への機能を発揮する期待を感じざるを得ません。

　キャリア教育は「生徒に自立（社会的・職業的等）するための力をはぐくむ教育」，まさしく生き抜く力を培う教育です。未来を生きる子供たちにとって，その「前へ踏み出す一歩」に直接的に，「機能する」「役に立つ」「生きて働く」教育なのです。将来が，万が一にも予測が困難で，さらに先行き不透明な時代になるのであれば，子供たち一人一人にとって羅針盤（いまはGPS？）の役割を果たすのが，このキャリア教育なのでしょう。

　教育へ，どんな形であれ携わる者であれば，社会からの，教育界からの，地域からの，子供たちからの……キャリア教育への期待を感じざるを得ません。新学習指導要領では，キャリア教育の充実が示されています。学級活動を要に自己実現に向けたキャリア形成を促さなくてはいけません。人生をつなげるためにキャリア・パスポートも重要なアイテムのひとつになります。キャリア教育を進めるに当たり，これ以上の追い風はありません。コロナ禍というピンチもチャンスとしてとらえ，子供たちが前へ踏み出す力をはぐくんでいきましょう。先生方の未来の子供たちへの思いがキャリア教育となり，児童生徒一人一人を支えるのです。

　本書は，本研究会において中学校を主体に取り組んできた実践研究のエッセンスを，小学校まで広げて編集しました。特に小学校1〜6年に対応した授業プランは，今後の小学校におけるキャリア教育実践の大きなヒントとなります。また，キャリア・パスポートの有効活用についても焦点化しています。子供たちのキャリア形成を図りつつ，キャリア教育そのものを充実させるキャリア・パスポートについて，より機能させていくために各校の実態に応じたカスタマイズ等に，本書を有効活用願えばと考えています。

　何と言っても本書の強みは，多くのキャリア教育の実践に裏付けられたものであるということです。多くの研究専門委員が授業実践を重ね，様々な規制がかかる中での編集活動等の取り組みでした。本書の1字，1行，1文には本研究会のSpiritが込められています。

　結びとなりますが，研究のために特別にご指導をいただいた県内の先生方，また本書編集のために幾度と参集いただいた編集委員の皆様，そして本書発刊に当たりご尽力いただいた実業之日本社の皆様に，衷心より御礼申し上げます。ありがとうございました。

　ピンチに機能するのがキャリア教育です。本書が子供たちの『明日へつなぐキャリア教育ベーシックプラン』となるよう祈りつつ，私のあいさつとさせていただきます。

2021年3月

埼玉県進路指導・キャリア教育研究会

会長　堀川　博基

「これからのキャリア教育」
～研究会の歩みを通して～

埼玉県進路指導・キャリア教育研究会

専門委員長　田口　光一

1　社会の変化と子供たちの動向

　2030 年には，我が国の少子高齢化が更に進行し，65 歳以上の高齢者の割合は，総人口の３割に達する一方，生産年齢人口は，総人口の約 58％にまで減少すると見込まれている。このように激変する社会構造により将来の変化を予測することが困難な時代に，子供たちには，現在と未来に向けて，「自らの人生をどのように拓いていくことが求められているのか」，また，自らの生涯を生き抜く力を培っていくことが問われるなか，新しい時代を生きる子供たちに，「学校教育は何を準備しなければならないのか」という論点のもとに，新学習指導要領が「社会に開かれた教育課程」となっている。

　各種調査結果における現代の青少年の実態として，自己肯定感が諸外国に比べて低く，自分自身に自信が持てないでいる。さらに，日本社会の置かれている現状を考え，自分の将来に明るい希望を持てない青少年の割合が高くなっている。OECD の生徒の学習到達度調査（PISA）などの近年の調査結果では，知識に関する理解が高まっている一方で，TIMSS2019 などの結果では，中学校数学・理科において「勉強は楽しい」「数・理の勉強が日常生活に役に立つ」「数・理を使う職業に就きたい」と答えた生徒の割合は，いまだに国際平均を下回っており，学習意欲の低さや学びと働くことの乖離が表れている。この結果を整理すると，現在学習していることへの興味・関心の低さ（学習への意欲），また，いまの学習が将来の自分にどう役立っていくかという学びの関連性の理解，そして，受験のための学習（受験後にしっかりと知識として定着できない学習）という教育状況が，現代の子供たちの実態をつくり出していると考えられる。

　2020 年，世界はいままでの価値観が一変するような状況を迎えた。まさしく「予測が困難な時代」に「厳しい挑戦」を続けなくてはならなくなった。そんな未来を生きる子供たちに，教育は「生き抜く力」をはぐくまなくてはならない。

2　新学習指導要領の視点から

　このような現状を踏まえ，文部科学省は，新学習指導要領の改訂の視点として，新しい時代に必要となる資質・能力①「何を知っているか。何ができるか（個別の知識・技能）」②「知っていること・できることをどう使うか（思考力・判断力・表現力等）」③「どのように社会・世界とかかわり，よりよい人生を送るか（学びに向かう力，人間性等）」の３点をあげている。この視点は，まさに，平成 23 年に中央教育審議会答申で提示された，「キャリア教育の定義」及び「キャリア教育の基本的方向性」につながるものであり，2021 年度より中学校で完全実施される新学習指導要領の中心的機能をキャリア教育が果たすことの期待とも言える。また，キャリア教育では，常に①何ができるのか(個性・適性・能力等)②何をしたいのか（将来の夢や希望等）③何をしなければならないのか（自己の進路実現に向けて）を子供たちに意識させていく視点からも相通ずるものがある。さらには，小学校特別活動学級活動の内容(3) に「一人一人のキャリア形成と自己実現」が示され，小・中・高のキャリア教育のつながりが明確となり，「キャリア・パスポート」等を活用しつつ，これまで以上に学校間接続を踏まえたキャリア教育を推進しなくてはならない。このように生き抜く力を総合的な観点で捉えながら，日々の進路指導・キャリア教育の実践に努めることが大切である。

3 大学入試改革の視点から

　職業の在り方を変化させるであろう人工知能（AI）の普及，また，変化の激しいグローバル化の時代において，現行の教育に変化が迫られている。その対応策として2021年度から始まる大学入学者選抜改革があげられる。これからの教育改革は，「知識の習得」から「知識の活用」の視点に立ち，学校で身に付けた「知識」を世の中に出て，どのように活用し，人生の役に立つものにしていくかに力点を置いている。まさしく，先の見えない社会を生き抜く人材を育てるために必要な「21世紀型学力（思考力，判断力，表現力，新学習指導要領3つの柱等）」をはぐくむための大学入学者選抜改革である。

　また，学びや生き方への主体性等を評価するための調査書の見直しも，キャリア教育推進のためのひとつの視点となると考える。自分自身の学習，活動の履歴を把握しつつ活動報告書にまとめる力も，キャリア形成をはぐくむ大切な過程となる。このことは，いまの学習が将来の自分にどう役立って行くかという学びの関連性の理解の点で，キャリア教育の推進の重要な視点のひとつとなっている。

　次の100年を生き抜く子供たちに，自立的に活動していくための学力等をはぐくむための高大接続改革はキャリア教育の機能が果たされることにより，その改革の主旨に反映されるものである。

4 学力・学習状況調査の視点から

　全国学力学習状況調査を受けて，埼玉県では，平成17年度から子供たちの学力や学習に対する興味・関心等に関する調査を実施してきたが，平成27年4月から調査内容を一新した独自の「埼玉県学力・学習状況調査（本調査は，小4〜中3まで実施し，個人の経年変化から児童生徒一人一人の学力の伸びを見るものである。）」を実施している。この調査の目的は，子供たちが現在の実力を知り，「どれだけ自分が伸びたか」を実感し，自信を深めていくこと（子供たち一人一人の成長を支え，一人一人を確実に伸ばす教育）としている。ここ数年間の子供たちへの質問紙調査（アンケート）の分析結果を以下に示す。

（1）「教師との関係」と「自分に対する考え」との相関

　各学年を通じて，教師が「認めてくれた」「どちらかといえば認めてくれた」という実感を持つ子供ほど，自分自身について「難しいことでも失敗をおそれずに挑戦している」と回答する相関関係がみられた。教師側の対応としては，子供たちは自分の努力やよさを認められたり，ほめてもらえたりすることによって自己有用感や自信を高めていくので，子供たちに機を逸することなく，自信を持たせる言葉をかけていかなければならない。また，ほめる，認める上で，挑戦して失敗した時に，結果だけでなくその過程や子供の勇気，思いを認めることも大切である。

（2）「家庭での様子」と「自己肯定感」に関する相関

　各学年を通じて，「家の人と学校での出来事を話す」と回答する児童生徒は，「自分にはよいところがあると思う」と回答する傾向がみられた。また，「自分にはよいところがあると思う」，「どちらかといえば思う」と回答する児童生徒の割合が，学年が上がっていくと減少していく傾向も見られた。児童生徒は，学校での出来事を家庭で話すことで，学習や学校生活を改めて振り返ることができる。教師側の対応としては，学校でほめることを増やすことで，家庭で保護者に話すことも増やすことができる。そのことを通して，子供たちの自己肯定感の向上を図っていかなければならない。また，学校や家庭での子供たちが自分のよさに気付けるための「いいところ探し」ができるように働きかけていくことが大切である。そして，よさに気付き，よさを伸ばし，よさを活かすことで自ずとウィークポイントの改善となる。

この調査の研究結果から非認知能力と学力には正の相関関係が見られ，特に，自己効力感や自己有用感，自制心，計画性等が学力の伸びに影響していることが報告されている。以前から，キャリア教育と学力向上とは，正の相関関係があると言われているが，教育活動全体でのキャリア教育を通して，非認知能力を高め，学力向上を推進して行きたい。

5 小・中連携の視点から

そもそもキャリア教育が公となる平成11年の「今後の初等中等教育と高等教育の接続の改善について（中教審答申）」では，キャリア教育について「小学校段階からの発達段階に応じて実施する必要がある」と示されている。

本研究会では平成25年度より，会の名称を「埼玉県進路指導・キャリア教育研究会」と改称した。この改称に伴い，徐々にではあるが小学校から理事・専門委員が選出され，会の運営に携わるようになってきた。このような小・中の連携を深める動きのなか，前回の関ブロ埼玉大会後，現行の学習指導要領の柱のひとつとしてあげられている「生徒の社会性や豊かな人間性をはぐくむため，学校における体験活動の機会を確保し，充実を図ることが求められている。」という点，また県政全般の総合的計画である「埼玉県5か年計画～安心・成長・自立自尊の埼玉へ～（第1期：平成24～28年度）」に基づく，埼玉県教育振興基本計画「生きる力と絆の埼玉教育プラン」の中での基本目標1「子供を鍛え次代を担う人材を育成する」の主な取組に，「発達の段階に応じたキャリア教育の推進」があげられている点，及び，「埼玉県5か年計画～希望・活躍・うるおいの埼玉～（第2期：平成29～令和3年度）」の中の分野別施策の「3・人材の活躍を支える分野，（1）一人一人が人財として輝ける子供を育てる，ア・確かな学力と自立する力の育成」における主な取組の中で，「小・中・高等学校におけるキャリア教育の充実」「障害のある子供たちの自立と社会参加を目指したキャリア教育・職業教育の充実」があげられている点，さらに，小学校と中学校の連携を推進するとともにモデル地区を設置し，小中一貫教育を実践し，その成果を，「小中一貫教育推進ガイド」（平成26年2月）としてまとめ，基本的な考え方や方策を示した点などを重視し，実践研究してきた。今後さらにこのようなキャリア教育の視点に立ち，発達段階に応じた実践を充実させ，自己理解を深めさせ，児童生徒のキャリア形成を促す進路指導・キャリア教育の在り方の研究を深めていきたい。

6 未来を見据え，主体的に生き抜く力

①未来を見据えることとは，実社会の現状を認識し，そのうえで，自分の個性・能力・適性に応じて，どのように社会的・職業的自立に向けて，将来の夢や希望・目標・目的等を実現させていくかといういまからの過程を含めた未来への思いを示す。また，この点を意識していくことで，自分の将来といまの学習との関連性が見えるようになり，学習意欲の向上が図られ，認知能力（学力）を高めることにつながる。

②主体的に生き抜く力を育てるということは，小・中の連携のもとに協働的な取組を通して，児童生徒の自己肯定感や自己有用感などを高める活動を実践し，特に非認知能力（意欲，自制心，やり抜く力，社会性など）を高めることにより，社会的・職業的自立に向けての，自分の将来の夢や希望の実現に向けて頑張り抜ける児童生徒を育成するということである。

「未来を見据え，主体的に生き抜く力を身につけた児童生徒」の育成のため，「予測が困難な時代」「厳しい挑戦の時代」に対応し，児童生徒が自分自身の個性・適性・能力や興味・関心等及び将来の夢や希望を意識し，自己の進路実現に向けて頑張り抜く力（生き抜く力）を育成することが必要である。そのためには，本研究会の平成25年度からの実践研究，現代の青少年の実態，学習指導要領の改訂の視点，2021年度から始まる高大接続改革の視点等を踏まえつつ，キャリア教育を推進することが

重要である。

7　キャリア教育の更なる推進に向けて

　キャリア教育は，一人一人の社会的・職業的自立，つまり「一人一人の自己実現」を目指し，一人一人が主役となり進めていかなくてはならない個に還る教育活動である。

　しかしながら，日本の労働環境を考えると，2030年には，我が国の生産年齢人口は，総人口の約58％にまで減少すると見込まれている。この現状を踏まえ，グローバル化の波とともに，外国人労働者との共生が重要となってくる。また，2045年には，AI（人工知能）が人間の知能を超えるといわれているシンギュラリティの問題がある。AIの普及により，我々人間の職業選択が大きく変わろうとしている。この点でも，AIとの共生が重要となってくる。今後のキャリア教育の推進はこの2つの視点を大いに考慮する必要性がある。

　このような国の動向などを踏まえ，新学習指導要領の小・中の総則において，小学校では，児童が，学ぶことと自己の将来とのつながりを見通しながら，社会的・職業的自立に向けて必要な基盤となる資質・能力を身に付けていくことができるよう，特別活動を要としつつ各教科の特質に応じてキャリア教育の充実を図ることと明記している。また，中学校では，上記の小学校の文言に加え，その中で，生徒が自らの生き方を考え主体的に進路を選択できるよう，学校の教育活動全体を通じ，組織的かつ計画的な進路指導を行うことと明記されることとなった。

　そして，文部科学省では，キャリア教育の更なる推進に向けて，その手立てのひとつとしてキャリア教育における「主体的・対話的で深い学び」の有効活用についても明示している。

8　今後の課題

　今後の本研究会の課題として，

①自分のよさ・適性・特性を見つめる活動を通して，児童生徒の自己肯定感を高める活動をより実践していくこと。また，他者との協働的活動を通して，自分自身が友人から認められ，必要とされている大切な存在であることに気づかせ，自己有用感を高める活動もよりよく実践していき，さらに自己肯定感を高めさせていくことが重要である。

②小中（義務教育段階）等における発達段階に即したキャリア教育の推進（小学校の教材開発等）が大切になる。

③児童生徒の変容（目に見える形での自己分析）をとらえキャリア発達を促すための小・中・高12年間を通した，キャリア・パスポート（キャリア・ワーク等）の開発及び有効活用を推進することなどがあげられる。

　いまの学習と社会とのつながりを意識させるとともに，自分のよさ・適性・特性をどう将来の自分の社会的・職業的自立と関連付けさせるかが重要となる。そのためにも，さらに協働的な取組を通して，学校種を越えた連携を更に深めていかなければならない。

本書の構成と利用の仕方（本書の特徴）

○本書の特徴

□ 小1〜中3までの義務教育を網羅した授業プランとワークの提示
　（キャリアでつなぐ小中一貫）

□ 小6・中1〜3とキャリア発達を意識したキャリア・パスポートの提示
　（キャリア・パスポートのカスタマイズに活用）

□ 学級活動におけるキャリア形成を促すための授業プラン
　（キャリア教育実践の支援）

□ 新任からベテラン教師まで，キャリア教育の授業を支援するプランの提示
　（授業づくりのヒント）

○本書刊行にあたって

　社会人・職業人としての基礎的・基本的な能力や態度を身に付けさせるために，学校・家庭・地域・企業等の横の連携と，幼稚園（保育園）・小学校・中学校・高等学校・大学と職業の世界との縦の接続を深めることを通し，教育活動全体で組織的・系統的なキャリア教育を展開する必要がある。そのために，急速に変化する社会と学校教育との関連性を意識しながら学校教育の在り方を見直した。

　本研究会では，キャリア教育を「社会的・職業的自立のために必要な能力や態度等を育て，学校の学びと社会(職業)の接続を円滑に行うための教育」と捉え，小学校からのキャリア発達の段階に応じた学級活動や体験学習を充実させることを念頭においている。このようなキャリア教育の視点に立ち，発達の段階に応じた実践を充実させ，自己理解の深化や児童生徒のキャリア発達を促すキャリア教育の在り方を研究実践してきた。

　今回のこの研究紀要は，新学習指導要領を考慮し，社会情勢に応じた題材を多く取り上げた。また，学校の教育活動全体を通して行うキャリア教育を補充・

深化・統合し，９年間を見通して計画的，組織的，継続的に指導・援助できる
ものとした。児童生徒のキャリア発達を促すキャリア教育が全学校で展開でき
ることを期待して，本書の刊行に至った。

○取り上げた内容

（１）取り上げた「題材・単元」は，小学校６年間におけるキャリア形成を促
　　　す学級活動ひとつずつと，中学校は公益財団法人日本進路指導協会監修の
　　　副読本「中学生活と進路」中の時代の変化に対応した教材や題材を選んで
　　　作成した。本研究紀要とこの副読本を併用することにより，中学校ではよ
　　　りよき実践ができると考える。また，キャリア・パスポートに関する資料
　　　においては，キャリア・パスポートを作成・活用するうえでの支援教材と
　　　なっている。

（２）本書は１時間ごとに，各学年に応じたキャリア発達を意識したねらいを
　　　明記している。その時間でどのような能力の育成を促すべきなのかを意識
　　　しながら授業を展開することで，児童生徒自身が自己の発達課題を意識し，
　　　自己のキャリア発達を促せるようになっている。本書を活用するとともに
　　　各学校において創意工夫をし，小学校・中学校・高等学校との連携を深め
　　　ながら，児童生徒のキャリア発達を促し，最終的に社会人・職業人として
　　　の基礎・基本を定着できるようにしていただきたい。

（３）前回の紀要同様，児童生徒のワークシートや資料類等を含めて工夫を凝
　　　らした。本書を有効的に活用し，学級活動における児童生徒の主体性を活
　　　かしたキャリア教育を実践していただきたい。また，児童生徒用のワーク
　　　シートは，発行元の了解を踏まえ，基本的にコピーして使っていただいて
　　　かまわないので，積極的にご活用願いたい。

○キャリア・パスポートの活用について（本研究会の方向性による）

キャリア教育の更なる充実に向けて，新学習指導要領におけるキャリア教育のポイントのひとつにキャリア・パスポートの推進がある。キャリア・パスポートについては，その目的や内容等について文部科学省等から以下のように示されている。

キャリア・パスポートにかかわる答申，通知等（キャリア・パスポートの目的や定義等）

■中央教育審議会答申 『幼稚園，小学校，中学校，高等学校及び特別支援学校の学習指導要領等の改善及び必要な方策等について』 （2016年12月21日）	（前略）子供一人一人が，自らの学習状況やキャリア形成を見通したり，振り返ったりできるようにすることが重要である。そのため，子供たちが自己評価を行うことを，教科等の特質に応じて学習活動のひとつとして位置付けることが適当である。例えば，特別活動（学級活動・ホームルーム活動）を中核としつつ，**「キャリア・パスポート（仮称）」などを活用して，子供たちが自己評価を行うことを位置付けること**などが考えられる。
■学習指導要領 第5章　第2［学級活動］　3の(2) （2017年3月告示）	2の(3)の指導に当たっては，学校，家庭及び地域における学習や生活の見通しを立て，学んだことを振り返りながら，新たな学習や生活への意欲につなげたり，将来の生き方を考えたりする活動を行うこと。**その際，生徒が活動を記録し蓄積する教材等を活用すること。**
■中学校学習指導要領解説・特別活動編 第3章第1節「4 学級活動の内容の取り扱い」（2017年7月）	「生徒が活動を記録し蓄積する教材等を活用する」とは，こうした活動を行うに当たって，**振り返って気付いたことや考えたことなどを，生徒が記述して蓄積する，いわゆるポートフォリオ的な教材などを活用する**ことを示している。特別活動や各教科等における学習の過程に関することはもとより，学校や家庭における日々の生活や，地域における様々な活動なども含めて，教師の適切な指導の下，生徒自らが記録と蓄積を行っていく教材である。 　（中略）ひとつ目は，中学校の教育活動全体で行うキャリア教育の要としての特別活動の意義が明確になることである。 　（中略）二つ目は，小学校から中学校，高等学校へと系統的なキャリア教育を進めることに資するということである。 　（中略）三つ目は，生徒にとっては自己理解を深めるためのものとなり，教師にとっては生徒理解を深めるためのものとなることである。
■「キャリア・パスポート」例示資料等について （文部科学省初等中等教育局児童生徒課，2019年3月29日）	【目的】小学校から高等学校を通じて，児童生徒にとっては，**自らの学習状況やキャリア形成を見通したり，振り返ったりして，自己評価を行うとともに，主体的に学びに向かう力をはぐくみ，自己実現につなぐもの**。教師にとっては，その記述をもとに対話的にかかわることによって，児童生徒の成長を促し，系統的な指導に資するもの。 【定義】「キャリア・パスポート」とは，児童生徒が，小学校から高等学校までのキャリア教育にかかわる諸活動について，特別活動の学級活動及びホームルーム活動を中心として，各教科等と往還し，自らの学習状況やキャリア形成を見通したり振り返ったりしながら，**自身の変容や成長を自己評価できるよう工夫されたポートフォリオ**のことである。なお，その記述や自己評価の指導にあたっては，教師が対話的にかかわり，児童生徒一人一人の目標修正などの改善を支援し，個性を伸ばす指導へとつなげながら，学校，家庭及び地域における学びを自己のキャリア形成に生かそうとする態度を養うよう努めなければならない。

以上により，キャリア・パスポートは「児童生徒が自らが記録し学期，学年，入学から卒業までの学習を見通し，振り返るとともに，将来への展望を図ることができるもの」と理解できる。本研究会ではいままでの実践研究を踏まえ，キャリア・パスポートについて以下のように捉えている。

　2020年度より完全実施されたキャリア・パスポート。今後さらにキャリア教育を充実させていくためには，必要不可欠なツールである。そのフォーマットについても，文部科学省や都道府県，市町村の自治体からも発出され，内容や機能性の充実，送る側・受け取る側の効率等を考慮した効果的な活用が期待されるポートフォリオとなっている。

　しかしながら，児童生徒のキャリア形成を促すためのキャリア・パスポートとして機能させるためには，地域や児童生徒の実情の理解，記述内容の創意工夫等，指導側の理解や考えの共有が重要となる。実際に2019年度末の先行実施では，キャリア・パスポートのサンプル配布のみの活動も散見した。このような実態からも，本会では「小中高等をつなぐ総括ポートフォリオをキャリア・パスポートとするものの，ワーキングポートフォリオも含んでキャリア・パスポートの機能を果たす」と考えた。

　受け取る側の煩雑さや全体の系統性，横の汎用性等，考慮しなくてはならない部分も山積するが，幸いにもキャリア・パスポートは地域性を確認し，保護者，地域の意見も考慮しながらカスタマイズしていくことが許されている。結果的に生徒のキャリア形成に生きて働くキャリア・パスポートを意識して，総括ポートフォリオの改善，及びキャリア教育の更なる充実に向け研究を進めていく。

埼玉県進路指導・キャリア教育研究会における
キャリア・パスポートの捉え方

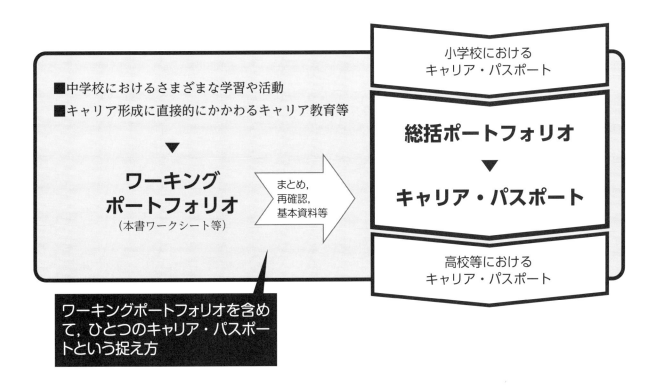

○小中一貫におけるキャリア教育の更なる推進に向けて

■中教審答申「初等中等教育と高等教育との接続の改善について」（1999年12月）

　キャリア教育（望ましい職業観・勤労観及び職業に関する知識や技能を身に付けさせるとともに，自己の個性を理解し，主体的に進路を選択する能力・態度を育てる教育）を<u>小学校段階から</u>発達段階に応じて実施する必要がある。

　上記「接続答申」において，小学校段階からのキャリア教育推進が提言されたのは，いまから20年以上前であった。これにより小学校段階からのキャリア教育の重要性は公になったものの，実際には一般化されない現状があった。長期間の紆余曲折を経て，令和の学習指導要領完全実施において，小中高の学級活動・ホームルーム活動におけるキャリア教育が「一人一人のキャリア形成と自己実現」という内容で一本化された。このことにより，各学校段階で連携を図りながら，新学習指導要領に示される「学ぶことと自己の将来とのつながりを見通しながら，社会的・職業的自立に向けて必要な基盤となる資質・能力を身につけるキャリア教育の充実」を確実に果たしていかなくてはならない。

　本会でも，小学校段階からのキャリア教育の重要性は「接続答申（1999年）」や「キャリア教育の推進に関する総合的調査研究協力者会議報告書（2004年1月）」等により意識しながら研究を進めてきた。以下はその概要を示したものである。

埼玉県進路指導・キャリア教育研究会における
小中一貫を意識したキャリア教育の推進

□ 2003年　関東甲信越地区中学校進路指導研究協議会埼玉（さいたま市）大会「小・中・高，地域連携」の研究
　　　　　　小学校教職員参加による25地区進路指導研究協議会の開催

□ 2010年　関東甲信越地区中学校進路指導研究協議会埼玉（戸田市）大会「小・中・高，地域連携」の研究

□ 2013年　研究会名の変更（埼玉県中学校進路指導研究会→埼玉県進路指導・キャリア教育研究会）
　　　　　　本会への小学校教職員の加入

□ 2018年　関東甲信越地区中学校進路指導研究協議会埼玉（越谷市）大会を小中共同会場で開催

□ 2020年　本会発行の研究紀要内容に小学校用ワークシートとキャリア・パスポートを掲載

本会だけに限らず，ここ数年の小中一貫教育推進の流れは加速度を増している。キャリア教育による小中一貫教育推進の実施状況も，とても大きな時流となり，小中一貫教育９年間の教育課程作成の突破口をキャリア教育で進めている小中学校や一貫校は少なくない。このような背景も手伝ってか，ここ数年間の小学校キャリア教育の推進校も実施期間も急増し，小学校職員のキャリア教育への意識も急激に高くなっている。

　しかしながら，小学校におけるキャリア教育展開のステージは，教科の時間や生活科，総合的な学習の時間と教科指導の時間を中心に展開されている場合が多い。今後，小学校においてもキャリア教育推進の「要」は特別活動の時間となり，学級活動の内容 (3) は「一人一人のキャリア形成と自己実現」とキャリア教育そのものとなる。また，キャリア・パスポートも小学１年生からポートフォリオを重ねていけば，必然的に学級活動がキャリア教育推進の中心的な活動の場となる。

　本書ではそのような状況も見据え，シンプルではあるが基本に返った小学校における学級活動・キャリア教育の授業プランとワークシートを提示している。小学校で，なかなかキャリア教育に踏み出せない先生方に，児童と共にキャリア教育をつくりだすきっかけとしてもらえれば幸いである。

本書の構成と特色

●題材設定の理由
キャリア教育が必要な背景も捉えつつ，本時の指導や題材の重要性を示しています。

●目指す児童生徒の姿
本時を通して変容する児童生徒の姿が，まさしく本時のねらいになります。

●本時の評価規準
新学習指導要領における特別活動の評価規準に準拠して3つの観点で構成しました。またキャリア形成に直接作用する能力を明確にするため，基礎的・汎用的能力との関係性を示しました。

●事前・事後の活動と指導
児童生徒が1時間の活動や学習を行うための準備から，授業の成果の生かし方までを簡潔に提示しました。

●指導上の配慮事項と評価
できるだけ児童生徒の活動ごとに配慮事項（○）を明記し，また，評価（※）においては，キャリア教育で身に付けさせたい能力との関連も明示しました。

●活動テーマ
本時の活動テーマを表題や指導案の中で児童生徒の視点に立って表示し，特活の特性を活かしています。

●キャリア・パスポートへのつながり
本時の授業とキャリア・パスポートをリンクさせることにより，蓄積資料として活用したり，キャリア・パスポート作成資料となるようにしています。

●発展的な学習へのつながり
児童生徒のキャリア発達を意識するために，題材の系統性や他教科，行事等とのつながりを簡潔に示しました（一部単元のみ）。

中学3年
⑤ **将来につなぐ，いまの学び**
■活動のテーマ／これからの学習プランを立てよう（将来のために）

1　題材設定の理由
■指導観
　受験という進路選択の現実を目の前に，いわゆる入試に対する学習体制も意識する時期である。ただし，その学びが入試終了後に剥離してしまう一時的なものにならないよう，いまの学びが将来につながるものであることを意識させたい。自分のための学習プランを立て，自己実現のための基礎的・汎用的能力をはぐくんでいく。
■題材観
　一人一人のキャリア形成をはぐくみ自己実現への資質・能力や意識を培っていくためには，現在や将来の学習と自己実現とのつながりを考え学ぶことと，将来の目標等を意識させ考えていくことが重要である。受験というタイミングでの状況を活かしながら，目標達成のための過程を踏ませたい。
■指導の背景等
　受験期の生徒の主体的な学びを支援するために，目標や希望を持たせ，進路選択を実現するための活力を生み出すことが重要な時期となっている。

2　本時の活動テーマ

> これからの学習プランを立てよう（将来のために）

3　目指す生徒の姿
■キャリア教育の視点で
・目標を達成するための見通しを持ち，自分のすべきことを考えることができる生徒
・進路選択のための学習計画を立案・実行できる生徒
■特別活動の視点で
・主体的な進路の選択と将来設計を具体化するための方策を具体化できる生徒

4　本時の評価規準

進路の目標を具現化するための 知識・技能	キャリアプラン実現のための 思考・判断・表現	キャリアプランを実行する主体的な 態度（主体性）
●進路の目標から学ぶことの意見やプランについて考えることができたか。	●進路目標と併せて，自分の現状を評価し自分に適した学習プランを作成することができたか。	●友人と学習プランの共有化を図りモチベーションを高めることができたか。

キャリア教育の評価の視点／評価規準から確認できる基礎的・汎用的能力		
□自己理解・自己管理能力	□キャリアプランニング能力 □課題対応能力	□人間関係形成・社会形成能力

5　展開
（1）事前の活動と指導

活動内容（活動の場面等）	指導上の留意点
●進路希望調査等での実態の把握（短学活等）	●日頃の進路希望等のアンケートによって生徒一人一人の情報を確認し本時の活動につなげる。

116

> ・人間関係形成・社会形成能力……【人・社】
> ・自己理解・自己管理能力…………【理・管】
> ・課題対応能力………………………【課】
> ・キャリアプランニング能力………【キャ】

（2）

	生徒の活動（指導内容と活動）	指導上の配慮事項（○）と評価（※）
導入	1　何のために受験をするのか，自分の考えやまわりの考えにふれる。	○　学級の進路学習調査の確認。 ○　それぞれの進路選択を通して多様な進路選択を理解し，絶対はないことを自覚させる。
	●　活動テーマを理解する。	
	活動テーマ／これからの学習プランを立てよう（将来のために）	
展開	2　現在自分がどんな将来プランがあるのかまとめる。（ワークシートQ1） ・将来のプランの確認 ・実現に向けての方策 ・悩みや不安　　　などの共有	○　将来の目指している職業等を確認し，目標や理由などが明確にあることを確認する。 ○　将来のプランの実現に向けての悩みや不安を共有することで，友人とともに受験期を乗り切ろうとする意識を高めさせる。 ※　自らの将来のプランを再確認し，不安や悩みが誰にでもあることを共有できる。【人・社】【キャ】【課】
	3　学習プランを作成し，受験にむけての方策や生活リズムの見直しを行う。 【深めるポイント】 ・基本的生活リズム（朝型夜型） ・塾や習い事との両立 ・休日の有効な使い方　など	○　深めるポイントなどの補足資料（統計データ）を通して，具体的なプランの作成を促せるようにする。 ※　自分の目標達成するための方法等を思考し，学習プランを作成することができる。【キャ】【理・管】
まとめ	担任等の経験などを通したアドバイスを行い，本時の感想を記入する。	※　目標達成のためのモチベーションを高めることができたか。【理】【人・社】

（3）事後の活動と指導

活動内容（活動の場面等）	指導上の留意点
●自分自身の1日の生活や学習プランを評価し，見直しや改善を行う。（家庭学習・学級活動等）	●日々の自主学習や日記等と平行し，自分の学習プランを見つめ見直す機会をつくるよう配慮する。

6　キャリア・パスポートへのつながり

■将来のプランの確認　　→　■目標達成のための学習プラン等の立案の過程　→　■目標達成のために試行錯誤する過程がキャリア・パスポートに反映される
■学習プランの作成　　　　　■将来のプランの再確認や吟味

7　発展的な学習へのつながり
● 進路選択への覚性を決め，受験体制の心構えを明確にさせ，集中して受験に挑ませたい。
● 学級においても，受験体制を明確にし，受験は団体戦という意識づけをしたい。
● 受験に向かう自分への励みにもしたい。

117

第三学年

14

■ワークシートのねらい

　人生ではじめてといっても過言ではない進路選択を前にした生徒たちは，笑顔の下にその悩みや不安，ストレス等を感じていることでしょう。でも，将来の自分を救えるのはいまの自分しかいません。ここでいま一度「将来のプラン」について再確認させ，自分の決意を固めさせてあげましょう。そして自らの進路実現に向けた意識を高め，受験当日まで逆算してプランニングし，自分を律して日々生活をしていくきっかけとさせましょう。

■ワークシート活用のポイント

○ 実施のタイミングによっても違いますが，「将来のプラン」は状況により，最終確認となる生徒もいるかもしれません。ていねいに記入させましょう。
○ 友人と感化し合いながら「学習プラン」を練らせましょう。大切なのは決意です！

■「主体的・対話的で深い学び」へのポイント

○ 受験にむけての悩みを共有するために，具体的な事例を友人と考えさせましょう。
○ 小集団で話し合わせ，ワークシートやボードにまとめ，全体でも共有しましょう。
○ 学習プランも共有することにより，お互いの努力する意識を励まし合いましょう。
○ 保護者の方からエールをいただきましょう。

■評価のポイント

○ ワークシートに将来の展望や一日のプランを考え，受験期に向けて考えを深めることができれば，自分の進路は固まったも同然です。
○ これからの生活のプランづくりを通して受験体制へのアドバイスをしましょう。
○ 受験は団体戦。友人同士で支え合う意識を持ちましょう！

■こんな時間と接続したら……

○ 受験体制に向けた，ひとつの切り替えの時間となるかもしれません。
○ 今後の受験勉強のふり返りや「毎日頑張っているぞ！」という自分への励みにしてください。

これからの学習プランを立てよう（将来のために）

3年＿＿＿組＿＿＿番　氏名＿＿＿＿＿＿＿＿＿＿

1 「将来のプラン」は？

1　進学や就職	高校などの進学は	
	その学校に進学する理由	
	就職は	
	その就職先（職業）を選んだ理由	
2　1の実現にむけての方策		
3　現在の悩みや不安		

2 1日の学習プランを見直そう。（生活の見直し）

時間	現在の生活	改善点
朝		
昼		
夜		

● この時間をふり返って。　　　　　● 保護者からひと言。

【ワークシートの有効活用】

　ワークシートを有効活用させるため，次の点を意識し，授業を展開し，キャリア発達を促す授業としてください。

●ワークシートのねらい

　このねらいを参考に先生が教えたい，学ばせたいキャリア教育を語ってください。

●「主体的・対話的で深い学び」へのポイント

　キャリア教育は主体的・対話的で深い学びに直結します。先生の工夫でよりクオリティの高い授業を展開してください。

●評価のポイント

　児童生徒がより主体的に学ぶための評価のポイントです。児童生徒の活動をたくさん拾って，指導と評価の一体化へ結びつけてください。

●こんな時間と接続したら……

　指導案の中での「発展的な学習へのつながり」とリンクさせ，他題材や行事等の導入やまとめ，事前・事後指導に活用してください。

●ワークシート

　資料のワークシートは，基本すべてA4版で，すぐにコピーして活用できるようにしています。できる限り本時の内容にあった資料を掲載したので，授業で有効活用してください。

　なお，児童生徒の実態に即して，この資料をもとにアレンジして，先生方の創意工夫あるワークシートを作成してやりがいのある授業を展開してください。

　それぞれのワークシートは，すべてワーキングポートフォリオとなり，その蓄積は総括ポートフォリオ，つまりキャリア・パスポートにつながります。

明日へつなぐキャリア教育ベーシックプラン
〔目次〕

中学校生活，スタートです！

■活動のテーマ／中学校生活をみんなでイメージしよう

1　題材設定の理由

■指導観

　生徒は，新しい中学校生活に対し大きな希望や期待を持って入学を迎えている。しかしながらいわゆる「中1ギャップ」と呼ばれる，環境の変化等による不適応を起こす生徒が少なくないのも事実である。この時期，一人一人の生徒に対し中学校生活への見通しを持たせ，今後の学校生活への意欲の向上を図りたい。そして，主体的にキャリア形成を進めていくきっかけづくりとしたい。

■題材観

　これから始まる中学校生活について，小学校生活との違いを挙げながら，同じ立場の同級生と話し合うなかで見通しを持たせたい。それにより新しい環境に身を置く不安よりも，これからの生活に抱く期待が大きくなるようにしたい。また，中学校生活で頑張りたいことを文章にすることで，前向きな意欲や態度を高めていきたい。

■指導の背景等

　教科担任制による授業，定期試験，放課後の部活動など，小学校とは大きく違う学校生活がある。これらは新入生にとって大きな環境の変化となり，期待と不安の要因となる。中学校への円滑な接続，適応ができるようにするためにも，同じ環境に臨む同級生の思いを知り，自分の考えをしっかり持てるように支援していきたい。

2　本時の活動テーマ

> 中学校生活をみんなでイメージしよう

3　目指す生徒の姿

■キャリア教育の視点で

・新しい人間関係を構築するための意識を持つことができる生徒
・中学校生活の見通しを自分の動機づけにつなげられる生徒

■特別活動の視点で

・中学生活の概要を理解し，自分の生活についてイメージを持つことができる生徒

4　本時の評価規準

中学校生活を見通すために必要な **知識・技能**	よりよい中学校生活に向けての **思考・判断・表現**	主体的に中学校生活や人間関係をよりよくしようとする **態度（主体性）**
●中学校生活の概要について理解している。	●小学校生活をふり返ったり，多様な情報からこれからの中学生活を考えたりして自分のイメージにつなげている。	●中学校生活について，新しい人間関係のなかで，イメージを膨らませようとしている。
キャリア教育の評価の視点／評価規準から確認できる基礎的・汎用的能力		
□キャリアプランニング能力 □自己理解・自己管理能力	□課題対応能力	□人間関係形成・社会形成能力

5　展開

（1）　事前の活動と指導

活動内容（活動の場面等）	指導上の留意点
●出身小学校で小集団を作り小学校時代のふり返り（ワークシートQ1）を行う。（短学活）等	●キャリア・パスポートを活用しながら小学校生活をふり返らせる。

（2）　本時の展開

	生徒の活動（学習内容と活動）	指導上の配慮事項（○）と評価（※）
導入	● 小集団内による小学校時代のふり返りと簡単な自己紹介をする。 ● 中学校生活について考えイメージする。 ● 活動のテーマを理解する。	○ 小学校キャリア・パスポートを活用した自己紹介。 ※ 小学校のキャリア・パスポートから，小・中の違い等に広げた中学校生活を理解している。【キャ】 ○ 新入生歓迎会や対面式の内容を確認，必要に応じて資料を用意。

活動テーマ ／ 中学校生活をみんなでイメージしよう

	生徒の活動（学習内容と活動）	指導上の配慮事項（○）と評価（※）
展開	1　導入の話し合い活動を活かして，さらに話し合い活動を深め，発表する。 【話し合いを深めるポイント】 　①小学校と中学校の違いは？ 　②中学校で伸ばしたい学習は？ 　③中学校で努力したい部活動は？ 　④中学校でやりたい活動・趣味等は？ 　⑤その他，中学校生活に関することは？ 2　他者の意見を聴いての感想をまとめる。 3　中学校生活のイメージを具体化する。 　⑥中学校生活で一番頑張りたいことは？ 　（ワークシートQ3）	○ 『中学生活と進路』P2のイラストや兄姉・先輩等からの情報を活用する。 ○ 場合によっては違いのポイントを提示する。 ○ 導入時の話し合いの内容に話し合いのポイント（左①〜⑤）を観点として深めさせる。 ※ 他者と意見を共有したうえでの，自分の中学校生活のイメージの具体化ができたか。【理・管】【課】 ○ その具体化として「⑥中学校生活で一番頑張りたいこと！」についての考えを深めさせる。 ※ 他者と考えを共有する。【人・社】
まとめ	● 「⑥中学校生活で一番頑張りたいこと！」を発表する。（7分） ● 教師からの説明による本時のまとめ（3分）今日の授業を終えて感想などを記入する。	※ さまざまな活動に積極的に取り組もうとする意欲を持つ。【人・社】 ○ 中学校で身に付けてもらいたい力を示す。

（3）　事後の活動と指導

活動内容（活動の場面等）	指導上の留意点
● 「学級開き」の活動へつなげる。 ● 1年間を通してのふり返りの基準とする。	● 入学時の初心を忘れないような働きかけをする。

6　キャリア・パスポートへのつながり

■中学校生活のイメージ
■中学校生活で一番頑張りたいこと　→　■中学校生活の基準
■ふり返りの観点　→　■中学1年のまとめとしてのキャリア・パスポート作成の資料

● 中学校入学時にかかげた1番頑張りたいことをいつでもふり返れるように，このときの思いなどをキャリア・パスポートに記入する。

中学校生活をイメージしよう

■ワークシートのねらい

　いよいよスタートした中学校生活。新しい船出に際し，期待と不安があるのは当然です……。話し合い活動が進むように，自分の考えや思いを文章にさせましょう。まず，導入部での小学校生活のふり返りでは・好きな教科・思い出・頑張ったことなどを書き出させてみましょう。新入生として同じ立場の同級生，大きな環境の変化を感じている友人の思いや考えを知ることで「不安なのは自分だけではない」，「前向きに考えることの大切さ」等を共有させてください。そして中学校生活で一番頑張りたいことをしっかりと自分で確かめて，中学校生活をスタートさせましょう。

■ワークシート活用のポイント

○ 小学校との違いが出にくい場合は，教科，テスト，学校行事，放課後の活動等，具体的な項目を提示してもよいでしょう。
○ 考えや思いを文章にし，自分が頑張りたいことを通して自己理解を深めさせましょう。
○ 一番頑張りたいことですから内容はひとつでいいと思います。学習面，生活面等に分けて考える生徒にはポイントを絞って記入させましょう。

■「主体的・対話的で深い学び」へのポイント

中学校生活，なにを頑張る？

○ 簡単な自己紹介ではありますが，事前に準備させましょう。項目を決めて（思い出や，小学校6年生のときの係など）他者紹介を行ってもいいでしょう。

○ まず，ワークシートを使用して自分の考えを言葉（文章）にして，伝えることを目標にしましょう。そして，友人の考えを聞いて感じたことをまた言葉（文章）にし，自己理解・他者理解を深めましょう。

○ 小集団での話し合いや発表，思考ツール等の活用による意見交換の活性化が図れると活動は深まります。

■評価のポイント

○ 小学校のキャリア・パスポートから，小・中の違い等を参考に広げた中学校生活に気づかせましょう。
○ 他者と意見を共有したうえでの，自分の中学校生活をイメージさせましょう。
○ 中学校生活について具体的にイメージを膨らませることができれば，この先の毎日についてのモチベーションアップにつながります。

■こんな時間と接続したら……

○ 新入生歓迎会，対面式，部活動紹介等の学校行事につながるよう考慮しましょう。
○ 1学期のふり返りでも活用できるといいでしょう。
○ この1年間，さらには中学校生活のスタートとしてキャリア・パスポートと接続させましょう。

中学校生活をイメージしよう

1年＿＿＿＿組＿＿＿＿番　氏名＿＿＿＿＿＿＿＿＿＿＿＿＿＿＿＿＿＿＿

1　小学校と中学校の違いは何だろう。
　　どのような違いがあるか調べて書き出したり，話し合ったりしてみよう。

2　友人の意見を聞いての感想をまとめよう。

3　中学校生活で一番頑張りたいことを書こう。

学習面で	生活面で

家庭・地域で

●担任からひと言。

●保護者からひと言。

中学1年生の見通しを持とう
■活動のテーマ／中学1年生の見通しを持とう

1 題材設定の理由
■指導観
　中学校入学時，新入生は新しく始まる中学校生活への大きな期待や不安を抱えている。教科担任制による授業，部活動，定期試験など，小学校とは大きく違う学校生活があり，それらは新入生にとって大きな環境の変化になる。入学して授業が始まったこの時期に1年間の中学校生活に見通しを持つことは，キャリア発達を促すために重要な過程となる。
■題材観
　学校行事は学校や学年・学級という集団において，社会参画の意識や人間関係をはぐくむ活動の総体である。その繰り返しにより自己実現を図っていく中学校生活において，1年間の見通しを持ち活動することは，毎日の生活に減り張りを持たせるための能力を培う大きな手立てとなる。年度当初のこの時期に中学校生活全体について見通しを持たせ，各行事での内容等を理解させることにより，中学校生活を主体的に送る意欲の向上を図りたい。

2 本時の活動テーマ

> 中学1年生の見通しを持とう

3 目指す生徒の姿
■キャリア教育の視点で
・先の見通しを持つことにより，計画的に取り組むことができる生徒
・見通しを持つことにより，自分のすべきことを考えられる生徒
■特別活動の視点で
・中学1年生の学校行事を知り，1年間の見通しが持てる生徒
・行事を成功させるために必要なことを考え話し合い，さまざまな活動に積極的に取り組もうとする意欲が持てる生徒

4 本時の評価規準

中学校生活を見通すために必要な **知識・技能**	行事等の意義や目的等についての **思考・判断・表現**	主体的に学校生活や行事への取り組みをよりよくしようとする **態度（主体性）**
●1年の学校生活に見通しを持ち，行事等の内容について理解している。	●行事等の意義や目的等について考えることができる。	●学校生活や行事への意欲や動機づけを高め，学級の行事等へ取り組む意欲を高めようとしている。
キャリア教育の評価の視点／評価規準から確認できる基礎的・汎用的能力		
□キャリアプランニング能力 □自己理解・自己管理能力	□課題対応能力	□人間関係形成・社会形成能力

5 展開
（1） 事前の活動と指導

活動内容（活動の場面等）	指導上の留意点
●ワークシートQ1「学校の行事予定表をつくろう」に記入する。（短学活・家庭学習等） ●年度当初の身体測定や諸検査等の時間を活用してもかまわない。	●資料を用意し，1年生の行事を年間行事計画に沿って説明する。

（2）　本時の展開

	生徒の活動（学習内容と活動）	指導上の配慮事項（○）と評価（※）
指導	● 行事を成功させるために必要なことについて話し合う行事を，予定表からひとつ選ぶ。 ● 活動のテーマを理解する。	○ ワークシート Q1 を活用する。 ○ どの小集団も同じ行事になってもよいが，担任が割り振ってもかまわない。
	活動テーマ ／ 中学 1 年生の見通しを持とう	
展開	1　1 年間の見通しを持ったうえで，行事を成功させるために必要なことを話し合う。	※ 1 年間の見通しを持つことができたか。【キャ】 　①目的を考える 　②目標を明確にする 　③練習計画を立てる　など ○ 意見は複数でもよい。
	2　小集団で意見をまとめ，発表する。	※ 行事等の意義や目的等について考えることができたか。【課】【人・社】
	3　各小集団の発表を聞き各行事を成功させるために必要なことを共有化する。	
	4　各小集団の発表を聞き中学 1 年生として自分の頑張りたいことを記入する。（ワークシート Q2）	○ 前時「中学校生活をイメージしよう」を参考とする。 ○ 学習面や生活面等で 1 年生としての頑張りポイントを明確にする。
	5　小集団のなかで自分の頑張りたいことを発表する。	※ さまざまな活動に積極的に取り組もうとする意欲を持つ。【理・管】
まとめ	● 計画表の今後の活用について確認する。	○ 掲示，ポートフォリオ等による発信。

（3）　事後の活動と指導

活動内容（活動の場面等）	指導上の留意点
●年度当初のまとめとして，保護者や担任からのひと言で評価とする。 ●ワークシートを教室に掲示したり，ファイルに綴じ込んだりする。 ●キャリア・パスポートに記入する。	●各行事への取り組みが意欲的なものになるようにする。キャリア・パスポートへの記入材料とする。

6　キャリア・パスポートへのつながり

■行事の見直し，目標
■中学 1 年での頑張りポイント

■中学 1 年の生活のモチベーションを高める基準
■行事の目標設定
■1 年間の中学校生活のポイント

■中学 1 年のまとめとしてのキャリア・パスポート作成の資料

●各行事に対する取組の，頑張りたいこと，頑張ったことを学期末，学年末にふり返られるようにしておき，キャリア・パスポートに記入，次年度の目標へつなげられるようにする。

中学1年生の見通しを持とう

■ワークシートのねらい

　中学校生活における体育祭，合唱祭等の行事や部活動等の諸活動は，中学生としてのキャリア形成に大きく作用します。資料を見ながら1学年の学校行事を確認し，それぞれの行事に対する自分の目標や役割を意識することで，見通しと共に意欲が持てることでしょう。また，行事の事前・事後に記入した内容を，確認・見直すこともあると思います。後でふり返ることができるようにできるだけ具体的に記入させましょう。

■ワークシート活用のポイント

○ ふり返り(自己評価)がしやすいように，できるだけ具体的に記入させましょう。
○ 自分の立場や役割が意識できるように声かけをしましょう。
○ 行事への意欲的参加から，学校生活全体に対しての頑張りポイントを確認させ，中学校生活への意欲を高めましょう。

■「主体的・対話的で深い学び」へのポイント

○ 中学校生活スタートの「黄金の5日間」は，中学校生活を理解する大切な期間です。この時期に見通しとがんばりポイントを持たせることで，生徒の中学校生活へのモチベーションをより高めましょう。
○ 『中学生活と進路』P8の「先輩に聞きました」を含むさまざまな情報を活用して，行事成功のポイントや学級での重点行事等の取り組み方を含めて確認しましょう。
○ 話し合いにおいて，何をどのように達成することで，その行事を成功とするのか，学級で共通理解を図りましょう。

どんな毎日が
待っているのかな？

■評価のポイント

○ 行事を中心に1年間の見通しを持つことで毎日の生活の意欲化につなげましょう。
○ 行事等の意義や目的等について考えることで活動意欲を高めましょう。
○ さまざまな活動に積極的に取り組もうとする意欲を持つことで，行事への意識と集団の意欲を高めましょう。
○ キャリア・パスポートを含め掲示や学級だよりへの掲載等のポートフォリオによる深化と共有化を図ることで，個々の生徒に自信が生まれます。

■こんな時間と接続したら……

○ 前時のワークシート「中学校生活をイメージしよう」を活用し，中1に限定したより具体的な見通しを持たせたいところです。
○ 本時に立てた見通しや頑張りポイントがこの1年間の自分の活動の基本になりますので，さまざまな場面でふり返りましょう。
○ 年度末のキャリア・パスポート作成の大きな資料となります。

中学1年生の見通しを持とう

1年＿＿＿組＿＿＿番　氏名＿＿＿＿＿＿＿＿＿＿＿＿＿＿＿

1　学校の行事予定表をつくろう。

月　日	行事名等	自分の目標（役割）

2　中学1年生！ 自分の頑張りたいところ‼

①学習面
②生活面
③行事面
④部活動
⑤習い事・好きなこと
⑥その他

●担任からひと言。

●保護者からひと言。

③ わたしたちが「学ぶ理由」
■活動のテーマ／わたしたちが「学ぶ理由」について考えよう

1 題材設定の理由

■指導観

　中学校生活のスタートにあたるこの時期に，学びに向かう力について考え，学ぶことが自分の可能性を広げ社会的自立を支えることについて考え，中学校生活の中核となることに気づかせたい。また「人生100年時代」にあたり，学び続けることの大切さや生涯学習の視点についても考え，学ぶことが人生に影響を与える大きさについて自覚させたい。

■題材観

　加速的に科学技術の革新が進むなか，追いかけて走り続けなくてはならない次世代を，学習指導要領でも「厳しい挑戦の続く時代」と定義している。そのような次世代を生きる生徒たちにとって，学ぶことの意義や目的を理解し，主体的に学び続けていくことはとても大切な生き方である。自分たちがなぜ学ぶのか考えることは，中学校生活におけるひとつの目標を明確にするとともに，将来の豊かな生活への基本的な考え方を整えることにもなる。

■指導の背景等

　教科等の授業では，学ぶことの意義や目的を考える機会が少ない。そこで，本題材において「学ぶ」ことの意義について広い視野で考え，自分の「学ぶ」目的について考えさせたい。また，中学校における学習の意義を理解することが，主体的学びへの動機づけになることに気づかせたい。

2 本時の活動テーマ

> **わたしたちが「学ぶ理由」について考えよう**

3 目指す生徒の姿

■キャリア教育の視点で

・「学ぶ」ことの意義について広い視野で考え，自分の「学ぶ」目的について考えることができる生徒
・中学校における学習の意義を理解し，主体的に学ぼうとする生徒

■特別活動の視点で

・学び続けることの大切さや生涯学習の視点について考えることができる生徒

4 本時の評価規準

学ぶことの重要性について考える **知識・技能**	学びについての **思考・判断・表現**	主体的に学習への意欲を 高めようとする **態度（主体性）**
●学ぶことの重要性について，主体的に気づき理解している。	●「学ぶこと」や「生涯学習」等の資料から，学びについての考えが深められる。	●学ぶことについて，主体的に考えようとしている。 ●学ぶことについて，自分の考えを持ち中学校の学習への意欲を高めることができる。
キャリア教育の評価の視点／評価規準から確認できる基礎的・汎用的能力		
□自己理解・自己管理能力	□課題対応能力 □キャリアプランニング能力	□人間関係形成・社会形成能力

5 展開

（1）事前の活動と指導

活動内容（活動の場面等）	指導上の留意点
●保護者に「いま学んでいること，学ぶ意味」を聞いてくる。（家庭学習）	●保護者に「学び」について子供がインタビューをすることを伝える。 ●大人の学生時代等のエピソードでもかまわない。

（2）　本時の展開

	生徒の活動（学習内容と活動）	指導上の配慮事項（○）と評価（※）
導入	1　「あなたは何のために学校で勉強しているのですか」に順位を記入する。その理由についても文章化する。（ワークシート①）	○　自分の気持ちを素直に記入させ，理由についても考えさせる。 ○　友人の順位も確認し，価値の共有化を図る。 ※　中学校における学習について，その意義を理解し，積極的に取組んでいる。【理】【課】 ○　現在学んでいることと，将来へのつながりを見出させる。
導入	●　本時の活動テーマを理解する。	

活動テーマ ／ わたしたちが「学ぶ理由」について考えよう

	生徒の活動（学習内容と活動）	指導上の配慮事項（○）と評価（※）
展開	2　小集団内で自分の意見を発表する。（ワークシート①）	○　人は年齢にかかわらずさまざまな場で学ぶという「生涯学習」の観点を押さえる。 ※　学ぶ意義を広い視野で捉え，将来に向けて学び続ける意欲をもっている。【キャ】
展開	3　小集団内でP15の資料を参考にしながら「学ぶ理由を考えてみよう」を作成する。（ワークシート②）	○　今後の自分に必要な情報を適切に選択・活用する力を育てる。
展開	4　小集団の代表が小集団内で考えた「学ぶ理由」を発表する。	○　発表用にワークシート②を拡大する。
まとめ	●　全体の発表を聞き，本時をふり返る。（ワークシート③）	○　本時の最初の気持ちと授業を終えたいまでは，学ぶことに対してどのように気持ちが変わったかも確認する。 ※　自分なりの「学ぶ理由」を導き出すことができたか。【キャ】『人・社』

（3）　事後の活動と指導

活動内容（活動の場面等）	指導上の留意点
●自分が考えた「学ぶ」目的や「学ぶ」意義について，保護者に伝え，それをもとに家庭で話し合う。（家庭学習） ●今後の「働く理由」等の題材においても接続させ関係深いところを活用する。	●授業で話し合った内容を，学級通信等で発信し，各家庭で参考にしたり話題にしたりしてもらう。

6　キャリア・パスポートへのつながり

■自分が学ぶ理由
■学ぶことの目的

■学ぶ目的の明確化による学習
■プロセスの確立への接続
■中学校生活の中核の確立
■学習へのモチベーション

■学習のふり返りへの資料
■キャリア・パスポートの学習評価の参考資料

●学ぶことの意義や目的，自分の可能性や社会的自立について考えたことをキャリア・パスポートに記述させる。

わたしたちが「学ぶ理由」について考えよう

■ワークシートのねらい

　学校における活動の中核は学ぶことにあります。今後ますます予測困難な時代を生きる生徒にとって主体的に学ぶ力を身につけることは未来を生きる自分への大きな力となります。

　また，学ぶことの意義や目的を理解し，主体的に学び続けていくことは中学校生活の支えになります。そこでこのワークシートの取組を通して，中学校生活のスタートにあたるこの時期に，学びに向かう力について考え，学ぶことが自分の可能性や社会的自立を支えることについても考えさせましょう。何も考えずに，学ぶことに取り組む中学生にとって，その目的や意義を考えさせることにより，学ぶことへの揺さぶりをかけてあげたいところです。

■ワークシート活用のポイント

○ 3枚にわたるワークシートとなっているので，生活の実態により内容を精査してもかまいません（ワークシート②のカット等）。
○ 記入する内容も多いですが，話し合いの内容を重視した方が生徒の考えは深まります。

■「主体的・対話的で深い学び」へのポイント

○ 指導内容に合わせて，内閣府の「Society5.0」の映像等を指導場面により活用することにより，考えを深めさせましょう。
○ 生涯学習やAI，IoT社会等の情報による未来社会への視野の拡大を図るようにしましょう。
○ 教師の実体験による自己開示から生徒の興味づけを拡大すると効果的です。
○ 身近な大人の学ぶ理由等について参考としてまとめておくとわかりやすいかも知れません。

なぜ勉強するのだろう……？

■評価のポイント

○ 中学校における学習について，なぜ学ぶのか考えることができているかがポイントです。
○ 話し合い活動での友人の意見が，自分の考えを左右するひとつの指標になります。

■こんな時間と接続したら……

○ 学ぶことの意義や目的，自分の可能性や社会的自立について考えたことをキャリア・パスポートに活かしましょう。
○ 学ぶことについて考える機会の少ない中学生です。この際じっくり考えて教科の取組に活かしてみましょう。

あなたは何のために学校で勉強している？

1年＿＿＿＿組＿＿＿＿番　氏名＿＿＿＿＿＿＿＿＿＿＿＿＿＿＿＿＿＿＿＿

1　あなたは何のために学校で勉強している？　下の答えの中から，自分の考えに近いものから順位を付けてみよう。空らんにはその他の答えがあれば，自分で書いてみよう。
　友だちの順位も書いてみよう。

順位	理　由			
	中学生は勉強するのがあたりまえだと思うから。			
	みんなが勉強しているから。			
	家族が勉強しなさいと言うから。			
	先生が勉強しなさいと言うから。			
	勉強することや学ぶことが好きで，楽しいから。			
	テストでよい成績を取りたいから。			
	高校や大学などに進学したいから。			
	やってみたい仕事や職業に就くために必要だと思うから。			
	自分の能力を伸ばしたいから。			
	将来の夢をかなえるために必要だと思うから。			
	勉強は大切なものだと思うから。			

2　1の順位にした理由を書いてみよう。

学ぶ理由を考えてみよう

1年＿＿＿組＿＿＿番　氏名＿＿＿＿＿＿＿＿＿＿＿＿＿＿＿＿

1　一番下の段に学ぶ理由を思いつくままに書いてみよう。
2　真ん中の段に下の段に書いた理由を類型化したり抽象化したりして書いてみよう。
3　真ん中の段に書いたことをもとに，一番上の段に学ぶ理由を書いてみよう。

3　自分の考え「学ぶ理由は!?」

2　学ぶ理由について整理してみよう。

1　学ぶ理由を思いついたままに書いてみよう。

なぜ，わたしたちは学ぶのかまとめてみよう

1年＿＿＿＿組＿＿＿＿番　氏名＿＿＿＿＿＿＿＿＿＿＿＿＿＿＿＿

1　他の人の学びの理由についての発表を聞いて，感想を書こう。

2　なぜ，わたしたちは学ぶのか，考えてみよう。

● 保護者からひと言。

● 先生からひと言。

中学1年
④ わたしたちが「働く理由」
■活動のテーマ／わたしたちが「働く理由」について考えよう

1　題材設定の理由

■指導観

　働くことの形や価値は加速的に多様化しているが，働くことや職業が社会生活を営むうえで，大きな要素となっていることは間違いない。働くことに対する興味・関心を高め，社会的・職業的自立を意識させるために，いまの発達段階で働くことについて考えさせたい。

■題材観

　生徒は社会生活を営むなかで，将来働くことや仕事に就くことについて，まだまだ未熟であるが漠然とイメージしはじめている。働くことや職業についての学習の一歩として「働く理由」について考えることは，今後の進路選択や将来の展望を深める活動における基本となる。

■指導の背景等

　加速的に科学技術の革新が進むなか，学習指導要領でも次世代を「厳しい挑戦の続く時代」と定義している。また，いわゆる「人生100年時代」にあたり，働くことや職業についての学習をはじめとした「働く理由」について考えることは，今後の進路選択や将来の展望を深める大切な活動である。次世代を生きる生徒たちにとって，「働く理由」について考えることにより，職業への関心・意欲を高める契機としたい。

2　本時の活動テーマ

> **わたしたちが「働く理由」について考えよう**

3　目指す生徒の姿

■キャリア教育の視点で

・働くことの大切さについて気づくことのできる生徒
・「働く理由」について考えることにより，勤労観・職業観の価値を考えることができる生徒

■特別活動の視点で

・「働く理由」について考えることにより，職業への関心・意欲を高めることができる生徒

4　本時の評価規準

働くことの意義についての **知識・技能**	働く理由についての **思考・判断・表現**	主体的に働く理由について 考えようとする **態度（主体性）**
●働くことの意義等について，自分なりに考え理解している。	●「働く理由」について，さまざまな情報をまとめ考えることができる。	●「働く理由」について考えることにより，将来や進路等について考える意識を高めようとしている。
キャリア教育の評価の視点／評価規準から確認できる基礎的・汎用的能力		
□キャリアプランニング能力	□課題対応能力 □自己理解・自己管理能力	□人間関係形成・社会形成能力

5　展開

（1）　事前の活動と指導

活動内容（活動の場面等）	指導上の留意点
●保護者や身近な大人に「働く理由」を聞いてくる。（家庭学習） ●「働く理由」の事前調査等。（短学活等）	●保護者に学級通信等で「働く理由」について子供がインタビューすることを伝える。 ●インターネット等の「働くこと」「職業」に関するサイトや関連図書等を積極的に活用する。

（2） 本時の展開

	生徒の活動（学習内容と活動）	指導上の配慮事項（○）と評価（※）
導入	1 『中学校生活と進路』P16を参考に自分の働く理由について考える。（ワークシートQ1）	○ この時点では，お金のため，生活のため，社会のためといった自分中心の回答も受け入れ，いろいろな考えが出るとよい。何か書かせるものを用意し，自由に記述させる。（思考ツールを用いたい）
	● 本時の活動テーマを理解する。	※ 「働く理由」について自分なりの考えを持つことができたか。【理・管】

活動テーマ ／ わたしたちが「働く理由」について考えよう

	生徒の活動（学習内容と活動）	指導上の配慮事項（○）と評価（※）
展開	2 導入で考えたことを小集団での話し合いにより「働く理由」についての理解を深める。（ワークシートQ2）	○ 自分の意見を項目だけでもよいからひとつでも出せるようにアプローチをする。
		○ 職業の違いにより理由が変わることも考えられるので，さりげなくそのような話に持って行くとよい。
	3 個人での説明の後，小集団で話し合う。	○ 公務員，スポーツ選手，Youtuberなど，子供たちの身近に感じられる職業で，理由がどのように変わるかも見てみるとよい。
		○ どのようなものであるかをみんなで話し合い，働く理由の価値を高める。
		○ 自分の考えとの相違や共感から考え方をさらに広げる。
	4 代表生徒に学級に向けて発表させる。	※ 「働く理由」について，自分で情報を整理し，考えをまとめることができたか。【キャ】【理・管】【人・社】
まとめ	5 実際に働いている人による話（働く理由）を聞く。	○ 事前のインタビュー，ネットや図書の情報，もしくはゲストティーチャー等でリアリティーある工夫をする。
	● 本時についてのまとめをし，自己評価をする。（ワークシートQ3）	※ 「働く理由」について，考えを深めることができたか。【キャ】【課】

（3） 事後の活動と指導

活動内容（活動の場面等）	指導上の留意点
●学級，学年の廊下にワークシートを掲示する。 ●学級通信等による共有化。	●各学級で出た他者の考え方を知り，自分の考えと比較するように促す。

6 キャリア・パスポートへのつながり

■現時点での働く理由
■働くことへの考え

■働くことを意識したキャリア教育への取組
■職場体験への準備

■キャリア・パスポート，進路や夢の確認資料

わたしたちが「働く理由」について考えよう

■ワークシートのねらい

　　生徒は社会生活を営むなかで，将来働くことや仕事に就くことについて，まだまだ未熟ですが漠然とイメージし，夢や希望という言葉で芽ばえはじめています。働くことや職業についての学習のはじめとして「働く理由」について考えることは，今後の進路選択や将来の展望を深める活動におけるきっかけになることは間違いありません。

　　働くことに対する興味・関心を高め，社会的・職業的自立を意識させるために，いまの発達段階で働くことについて考え将来をイメージさせましょう。また，「人生100年時代」にあたり，働くことや職業についての学習をはじめとした「働く理由」について考えさせ，今後の進路選択や将来を見直すきっかけとしましょう。

■「主体的・対話的で深い学び」へのポイント

○ 社会と直接的につなげやすい単元なので，社会人講師，ゲストティーチャー等の活用も有効です。

○「働く理由」の価値観の深化については，著名人等の考えをまとめた図書等も多くあるので，有効活用しましょう。

○ 経済性，個人性，名誉性，家族性等の働くことについての価値観により，ディベート形式で話し合いを深めるのも楽しいかもしれません。

■評価のポイント

○「働く理由」について考えることにより，勤労観・職業観の価値観をはぐくむことができます。

○「働く理由」について考えることにより，職業への関心・意欲を高めることができます。

○ また「働く理由」を考えたことが，中学校生活や学級の改善につながることも気づかせたいところです。

○ ワークシートの記入よりも，話し合い活動に重きを置いて価値観を交流させたいところです。

名誉！ 名声！

■こんな時間と接続したら……

○ 働くことや職業についての学習をはじめとした「働く理由」について考えたことを，キャリア・パスポートの資料として活用しましょう。

○ 学ぶことと働くことを継続的に意識することにより，生きることについて考えを深めさせましょう。

○ 職場体験活動の有効な事前指導としてつなげましょう。

わたしたちが「働く理由」について考えよう

1年＿＿＿＿組＿＿＿＿番　氏名＿＿＿＿＿＿＿＿＿＿＿＿＿＿＿＿

1　「人はなぜ働くのだろう」についての自分の意見を書いてみましょう。

2　友人の意見を聞いて感じたこと，考えたことをメモしよう。

3　今日の授業を通して感じたことや，これからの生活に活かしたいことを記入しよう。

⑤ 成長するからだと心
■活動のテーマ／中学生の身体と心の成長を考えよう

1 題材設定の理由

■指導観

中学校の発達段階における生徒の成長過程の特徴として，思春期に入り保護者や他者と異なる自分独自の内面化が進むことが挙げられる。急速な身体の成長，アンバランスな状況が際立つ精神的な成長，社会に氾濫する多様な情報等，心身ともに思春期特有のストレスがかかるなか，自分に必要な情報を見極め，自主的，実践的な態度をはぐくんでいくことは，自分の生き方を考えていくうえでとても重要なことである。

■題材観

本題材では，充実した中学校生活を送るための身体と心の在り方について考えさせるとともに，健全な身体と心に成長させるためには，日常でどんなことに気をつければよいのかも考えさせたい。

■指導の背景等

思春期を迎える中学1年生はさまざまな問題を抱えることが予想される。SNS等を使えば子供たちだけで情報や連絡のやりとりが可能な現状も鑑み，生徒本人が正しい判断基準を持つようにしなければならない。

2 本時の活動テーマ

> ### 中学生の身体と心の成長を考えよう

3 目指す生徒の姿

■キャリア教育の視点で

・充実した身体と心を成長させるための生活の仕方を考えられる生徒

■特別活動の視点で

・安全・安心な生活を送ろうと意識する生徒
・思春期特有の気持ちや悩みを共有し，身体の成長に応じた心の成長を考えられる生徒
・身近に迫る思春期を狙った性犯罪について正しい知識と理解を深められる生徒

4 本時の評価規準

健康な生活のための 知識・技能	学校生活を充実させるための 思考・判断・表現	充実した成長をするための 生活を主体的にしようとする 態度（主体性）
●思春期特有の特性や不安等について理解している。	●学校生活の充実のために，思春期特有の特性や不安等との向き合い方を考えることができる。	●身体と心の成長に正対しながら，一歩踏み出す意欲を持とうとしている。
キャリア教育の評価の視点／評価規準から確認できる基礎的・汎用的能力		
□課題対応能力	□自己理解・自己管理能力	□人間関係形成・社会形成能力

5 展開

（1）事前の活動と指導

活動内容（活動の場面等）	指導上の留意点
●自らの発育測定等の結果の推移を見て，身長や体重等の身体の変化について，実感を持たせておく。	●発育測定の結果を見たり，保健室前の掲示物等を見たりする等のアドバイスをする。

（2）本時の展開

<table>
<tr><th colspan="2">生徒の活動（学習内容と活動）</th><th>指導上の配慮事項（○）と評価（※）</th></tr>
<tr><td rowspan="2">導入</td><td>● 自分が健康に気を付けていることがあるか確認する。

● 本時の活動テーマを理解する。</td><td>○ 食生活，早寝・早起き，運動の習慣，感染防止等，それぞれが考えている健康のための工夫を自由に発表させる。</td></tr>
<tr><td colspan="2">活動テーマ ／ 中学生の身体と心の成長を考えよう</td></tr>
<tr><td rowspan="4">展開</td><td>1 健康意識チェックについて，ワークシートに記入し，まとめる。</td><td>○ 自分の健康に対する意識をチェックシートにどの程度当てはまるかを確認し，気づきを与える。

※ 自らの健康に関する生活をふり返り，自己の生活習慣をよりよいものにしようと考えている。【理・管】

○ 生活習慣の見直しを踏まえて，自己をふり返り，自らの成長のために，工夫や改善をすることを考えさせる。</td></tr>
<tr><td>2 まとめた内容を小集団でシェアし，意見交換をし，気づいたことを上げる。</td><td></td></tr>
<tr><td>3 中学生の恋愛事情について資料をもとに確認する。</td><td>○ 統計資料をもとに，中学生の恋愛について，情報を提供し，考えさせる。</td></tr>
<tr><td>4 性的な犯罪に巻き込まれないために，気を付けることをワークシートに記入し考える。</td><td>○ 資料をもとに，性犯罪に巻き込まれないための心構えや対策を考えさせる。

○ インターネットや SNS など，身近に性犯罪の危機があることを考えさせ，それらの使い方を考えさせ，意識を高めさせる。

※ 身近にある性犯罪についての認識を深め，事前に予防する知識や考えを持つことできた。【課】【人・社】</td></tr>
<tr><td>まとめ</td><td>● 本時のふり返りを，ワークシートに記入する。</td><td>○ 本時をふり返らせ，中学生の身体の変化に伴って，心を強く変化する必要があることを認識させる。</td></tr>
</table>

（3）事後の活動と指導

活動内容（活動の場面等）	指導上の留意点
●自己や他者の容姿などに対する言動等に注意を促し，異性や同性に対する配慮を考えさせる。	●性差を正しく理解することや言動によってはセクハラ等の問題も発生することを理解できるよう，指導していく。

6 キャリア・パスポートへのつながり
●安全・安心な生活への考えや課題対応についての考えをキャリア・パスポート作成へのヒントとする。

7 発展的な学習へのつながり
●保健体育，身体の特徴・成長での活用。
●防犯教室の事前・事後指導の取組。
●感染拡大防止や LGBTQ 等，直近の社会的課題へのつながり。

中学生の身体と心の成長を考えよう

■ワークシートのねらい

　　自分の身体や心に対する安全・安心の教育は，いま，特に必要不可欠なものとなっています。そのような状況で自分の成長に関心を持つことは，とても大切なことです。ここでは自分の健康に対する意識をチェックシートで確認します。そのとき，「習慣としてなのか」「意識して行っているのか」も考えさせましょう。また，項目ごとにできている理由や，できない理由も説明できるように指導を深めましょう。

■ワークシート活用のポイント

○ 指導案2の，小集団でシェアする場面で意見交換が深まるように，チェックリストの項目について，「何のためにそうするのか」が言えるように考えさせましょう。

○ 指導案4の「～ワークシートに記入し考える」場面の活動が行えるように，補助資料を整えておきましょう。

体調……

スマホ
やりすぎ！

■「主体的・対話的で深い学び」へのポイント

○ 性教育に関する情報も広く扱う可能性もあります。補助資料等を用意しておきましょう。

○ 肯定的な話し合いの雰囲気づくりが重要なので，思考ツール等を積極的に活用しましょう。

○ 身体と心の成長についての理解を深めさせるため，個人でまとめた内容を小集団内で共有し意見交換をさせましょう。

○ 2の小集団でシェアする場面ではチェックリストの項目について，「何のためにそうするのか」が言えるように考えさせましょう。

■評価のポイント

○ 自らの健康に関する生活をふり返り，生活習慣によって何が変わるのかを理解することが大切です。それから，よりよいものにしようと考えることができればよいでしょう。

○ 身近にある性犯罪についての認識を深め，他人事ではなく，自分のこととして捉えることができたか，それにより事前に予防する知識や考えが活きてくるでしょう。

■こんな時間と接続したら……

○ 保健体育や安全指導に応用できるのはもちろんですが，この現状（2021年3月時点）において，安全・安心の指導から，感染拡大防止の指導にまで広げることも可能です。

中学生の身体と心の成長を考えよう

1年_____組_____番　氏名_____

1　健康意識チェックをしてみよう。
自分は，日ごろの身体の成長のためにどれだけ気を付けている？

食事は好き嫌いなく食べることができる	□できる　　　　　□できない
偏らずバランスよく食べている	□食べている　　　□食べていない
ダイエットをしたことがある	□している　　　　□過去にしていた □しようと思っている　□していない
朝食をとらないことがある	□毎日ある　□時々ある　□ほとんどない
早寝，早起きを心掛けている（できている）	□できている　□まあまあ　□できていない
決まった時間に食事や入浴，就寝などをしている	□している　□まあまあ　□していない
寝る直前まで，スマホやパソコンなどの画面を見ている	□見ている　□時々　□見ていない
スマホやパソコンなどは時間を決めて使っている	□している　□していない　□使っていない
日頃から運動をしている（体育や部活動以外で）	□毎日　　　　　□週の半分程度 □週1〜2回　　　□していない

● グループで気づいたことを記入しよう。

2　性犯罪に巻き込まれないために，気を付けるべきことはなんだろう？

3　今日の授業で感じたことをふり返ってみよう。

安全で安心な生活のために

■活動のテーマ／災害や防災の基礎的な知識を身につけ，地震が発生したときの行動について考えよう

1 題材設定の理由

■指導観

　埼玉県では，マグニチュード7クラスの首都直下地震は今後30年以内に70％の確率で発生すると予測され，最新の埼玉県地震被害想定調査結果では，県南東部11市区に震度6強の揺れが発生すると想定されている。そのようなななかで災害対応を考えていくには，まずは「自分の命，安全は自分で守る」という考え方が重要だと言われている。日常的な心構えや対策（備え）が，減災において重要になりうることから本題材を設定した。

■題材観

　安全で安心な生活のために自然災害に対しての知識を深め，自助から共助へとつなげられるようにしたい。

■指導の背景等

　国内における自然災害の発生件数及び被害は，ここ数十年増加傾向にあり，その危機への対応が危惧されている。特に，埼玉県内で被害が生じるであろう大規模自然災害には，地震，洪水，竜巻，大雪の4種類がある。これらのうち，地震が最も大きな被害をもたらす可能性があると考えられている。万が一のときのために，いまから安心・安全について意識させたい。

2 本時の活動テーマ

> 災害や防災の基礎的な知識を身につけ，地震が発生したときの行動について考えよう

3 目指す生徒の姿

■キャリア教育の視点で

・災害や防災の基礎的な知識を身につけている生徒
・身の回りの危険について理解し，自分の命は自分で守る意識を高めることができる生徒

■特別活動の視点で

・地震が発生した時の行動について考えられる生徒

4 本時の評価規準

身のまわりの危機についての **知識・技能**	身のまわりの危機や危険の **思考・判断・表現**	主体的に安全・安心を意識し よりよく生活しようとする **態度（主体性）**
●身のまわりの危険について理解している。	●危機や危険の実態を理解し，自らの命を自らが守る方法について具体的に考えることができる。	●安全・安心に生活するための意識を高めようとしている。

キャリア教育の評価の視点／評価規準から確認できる基礎的・汎用的能力		
□自己理解・自己管理能力 □人間関係形成・社会形成能力	□課題対応能力 □人間関係形成・社会形成能力	□キャリアプランニング能力

5 展開

（1） 事前の活動と指導

活動内容（活動の場面等）	指導上の留意点
●自然災害（地震・洪水・竜巻・雷）について考え，災害時における，家庭や地域のなかでの自分の役割について考える。（短学活・家庭学習等）	●災害時において，中学生という立場は，家庭でも地域でも安全を守る担い手としての役割を期待されている存在であることを理解させる。

（2）　本時の展開

	生徒の活動（学習内容と活動）	指導上の配慮事項（○）と評価（※）
導入	● いままで行った防災学習についてふり返る。 ● 活動のテーマを理解する。	○ さまざまな自然災害が想定されるが，そのなかでも地震の被害が大きいと想定されていることを理解させる。 　・「災害」とは？　　・「防災の目的」とは？
	活動テーマ ／ 災害や防災の基礎的な知識を身につけ，地震が発生したときの行動について考えよう	
展開	1　地震の基礎知識を理解する。 2　防災の考え方とは？ 　・自助：自分や家族を。　・共助：地域を。 　・公助：救急隊などより，まずは自助から。 　・関東でも大震災が起こりうることを考えさせる。 3　地震発生時，各場面でとるべき行動について考えよう。 　・個人で考え，全体で共有する。 4　自分自身の身を守るためにはどうすればよいか。 　・地震被害の多くは，建物倒壊や家具転倒による窒息や圧死によるものであることを学ぶ。 　・基本行動パターンについて学ぶ。	○ 地震は中1の理科の単元でも扱うため，理科的事項は簡単に説明。 ○ マグニチュードと震度の違いにふれる。 ○ 関東でも大震災が起こりうることを考えさせる。（学習活動と内容から移動） ○ 個人で考えさせ，その後，小集団で話し合い全体で共有する。（学習活動と内容から移動） ○ 家庭や地域社会での自分の役割や責任を自覚させ，地震発生時にとるべき行動を意識させる。 ※ 中学生である自分自身が，社会的役割をもっていることを自覚している。【理・管】【人・社】
まとめ	● 地震の防災 　発生時の対応等について知る。 ● 南関東，首都直下地震について（発生のリスク・被害想定等） ● 防災意識を持つことの大切さ（釜石の軌跡から） ● 震災から自分と家族を守るために普段から備えておこう ● 家族みんなで確認しよう ● 自宅内での心がけ 　・震災がおきたら　・帰宅困難になった場合 　・災害時の連絡手段　・助け合いの行動を 　・共助　・地震が起きたらこうしよう（家のなか，屋外，スーパー，エレベーター，車，電車バス，海岸，崖） ● 本日のふり返り・まとめの記入	○ 家庭や地域での役割などについて進んで考えられるようにする。 ○ 政府，市町村等，自治体の情報を活用する。 ※ 災害時にすべき行動や自身の役割などについて関心を高めようとしている。【課】【人・社】 ※ 多様な役割から自身の将来を捉える視点をもたせ，自分の将来への関心を高めようとしている。【キャ】

（3）　事後の活動と指導

活動内容（活動の場面等）	指導上の留意点
● 今後も水害やその他の災害について学んでいく予定なので，今回学んだことを次回以降に生かせるように，地震の役割について認識させていく。（総合的な学習の時間）	●くり返し家庭や地域社会での自分の役割について，認識できるように支援していけるとよい。

6　キャリア・パスポートへのつながり
●安全・安心な生活，生命尊重の基本的な考えについて，長期的な視点で生きることを基礎としたキャリア・パスポートに活かす。

7　発展的な学習へのつながり
●理科（地震等），保健体育（生命尊重），総合的な学習の時間（安心・安全）等の関連教科につなぐ。
●保健安全指導に関する行事との接続（保健行事，避難訓練，安全教室等）。

ワークシート ⑥

安全で安心な生活のために
災害や防災の基礎的な知識を身につけ，地震が発生したときの行動について考えよう

■ワークシートのねらい

　地球温暖化，異常気象，大地震，豪雨……，さまざまな災害が毎年のように発生し私たちの危機管理意識に警告を発しています。私たちも災害等のこわさを実感し，安全・安心への心構えの重要性を感じています。実際に阪神淡路大震災や東日本大震災をはじめ，ここ数十年の自然災害の発生件数や被害も増加傾向にあります。

　比較的災害に強い埼玉県と言われていますが，被害が生じる大規模自然災害には，地震，洪水，竜巻，大雪の4種類があるとされています。これらのうち，地震が最も大きな被害をもたらす可能性があると考えられています。地震についての理解を含め，起こりうる危険を予想することは，今後の人生において重要なキャリア形成となるでしょう。いつ，どんなときに地震が起こるかは分かりません。さまざまな場面で地震が発生し，どのような危険があり，そのときにとるべき行動を話し合い，確認することで危険予測能力が高められるでしょう。

　また，新型コロナウイルスに象徴される予測困難な時代である現在，どんな想定外の危機が発生するかわかりません。どんな危機にも適切に対応する危機管理能力をはぐくみたいものです。

■ワークシート活用のポイント

○ 指導案3のそれぞれの場面で考えられる危険，とるべき行動については，一人で考え言葉（文章）にしてから小集団で話し合い，その後全体で共有しましょう。

○ 指導案4の自分の身を守るにはどうすればよいかでは，理由を明らかにしながら全体で確認するようにしましょう。

■「主体的・対話的で深い学び」へのポイント

○ 本題材では災害（地震）に焦点化した指導を展開しましたが，各校の現状に応じた危険（SNS，いじめ，交通事故，水害，感染防止等）に特化してもかまいません。

○ 総体的にさまざまな危険についてふれ，安全意識をはぐくむのも可能でしょう。

■評価のポイント

○ 自助・共助を通して中学生である自分自身が，社会的役割をもっていることが自覚できるように工夫しましょう。
○ 災害時にすべき行動や，自分の役割などについて関心を高められたかを，的確に評価しましょう。
○ 多様な役割から自分の将来を捉える視点をもたせ，生き方への関心を高めようとしている姿を評価しましょう。

■こんな時間と接続したら……

○ この授業を避難訓練の事前指導にすれば，訓練に取り組む生徒の真剣度が増すことでしょう。
○ あらゆる安全指導との接続を図ることができます。
○ 授業のエッセンスは，感染拡大防止にも，きっと活きることと思います。

地震が発生したときの行動について考えよう

1年＿＿＿＿組＿＿＿＿番　氏名＿＿＿＿＿＿＿＿＿＿＿＿＿＿＿＿＿

【日本列島の地震環境】
　日本とその周辺では，人が感じる地震が年間約【　　1,000～2,000　　】回（1日3～6回）発生しています。その理由は，日本がプレートと呼ばれる大きな岩の板がぶつかり合う地点にあるからです。特に関東地方は4つのプレートが重なり合う世界的にもまれな場所で，地震が多発する地域になっています。

【マグニチュードと震度の違い】
「マグニチュード」は，地震の【　　　規模　　　　】（エネルギーの大きさ）を表し，
「震度」は，それぞれの場所での【　ゆれの大きさ　】を表します。

震度0 地震だが，体感できない。	震度5弱 固定されてない家具が動く。本棚の本が落ちる。
震度1 座っているとかすかに感じる人もいる。	震度5強 掴まらないと歩けない。ブロック塀が崩れることも。
震度2 大半の人は，気がつく。	震度6弱 立っていられない。ガラスが割れることも。
震度3 動いていなければ，ほとんど気がつく。	震度6強 這わないと動けない。木造建築だと倒れることも。
震度4 電灯などの吊り下げ物が大きく揺れる。	震度7 激震。コンクリートの建物でも倒れることも。

【防災の考え方とは？】

①自助	まずは，（　　　　　　）や（　　　　　　）の身は自分で守る
②共助	そして，近隣が助け合って（　　　　　　）を守る
③公助	それら以上のことは，（　　　　　　　　）など公的機関が私たちを守る

●地震はあなたがいつ，どこにいるときに，発生するかわかりません。いろいろな場面を考えて，どのような危険があり，あなたがその時にとるべき行動を考えてみよう。

場面	考えられる危険	とるべき行動
寝室で寝ている		
キッチンで調理中		
高い建物がある街中		
ブロック塀に囲まれた路地		
ショッピングセンターで買い物中		
エレベーターの中		

【自分の身を守るにはどうすればよいか】
　地震の発生直後に多くの命を奪った原因は何でしょうか。右図のとおり，地震発生直後における死因の多くは，建物の倒壊や家具の転倒による窒息・圧死・損傷・打撲・臓器不全などです。合計すると83.9%に及びます。
　また，死因の12.2%を占める焼死についても無視できません。これらの危険に日ごろから目を向け，いざという時のために備えておくことが命を守ることにつながります。

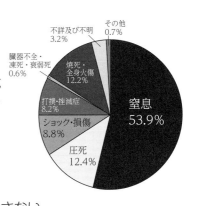

●家具の配置，転倒・落下防止
　家具が倒れてきても安全な場所で寝る。
　家具を固定する。金具が使えなければ，粘着テープなどを利用する。
●基本的な行動パターン
　①自分の身を守る ②火の始末 ③逃げ道の確保 ④素早い消火 ⑤外に飛び出さない
　⑥ガラスの破片に注意 ⑦塀などには近づかない ⑧正しい情報の収集

⑦ 職業について調べてみよう
■活動のテーマ／職業について考えてみよう

1 題材設定の理由

■指導観

　生徒が自分自身の生き方について深く考え，自己実現を図ろうとする態度を養うために，職業的・社会的自立を促すキャリア教育は，キャリア形成の基盤をはぐくむ重要な教育となる。学級活動では，「一人一人のキャリア形成と自己実現」が明確化され，生徒一人一人に社会生活・職業生活等を踏まえた基礎的・汎用的能力をはぐくまなくてはならない。そのような将来の生活を考えていくうえで，職業はとても重要な要素となる。

■題材観

　中学１年生という発達段階において，将来の展望と深くつながる「職業」について考えることにより，生徒のキャリア発達の入り口を広げ動機付けたい。本題材では，生徒一人一人のキャリア形成を促すため，題材を設定した。

2 本時の活動テーマ

> 職業について考えてみよう

3 目指す生徒の姿

■キャリア教育の視点で
・職業や働くことについて，学んだり考えたりすることの重要性を理解することができる生徒
・職業をきっかけとして，将来について学ぶ意識を高めることができる生徒

■特別活動の視点で
・職業について考えることにより，自己実現への動機を高められる生徒

4 本時の評価規準

さまざまな職業についての**知識・技能**	さまざまな職業の特性や環境についての**思考・判断・表現**	主体的に生活をよりよくしようとする**態度（主体性）**
●さまざまな職業の存在を理解している。	●さまざまな職業の特性や環境について考え，他者との共有により職業について考える意欲を高められたか。	●生き方を考える学習への興味・関心が高まったか。
キャリア教育の評価の視点／評価規準から確認できる基礎的・汎用的能力		
□課題対応能力 □人間関係形成・社会形成能力	□キャリアプランニング能力 □自己理解・自己管理能力	□人間関係形成・社会形成能力 □自己理解・自己管理能力

5 展開

（1） 事前の活動と指導

活動内容（活動の場面等）	指導上の留意点
●将来自分がつきたい職業について考える。（短学活，家庭学習）	●具体的な職業名があげられなくても，分野や抽象的なこと（人の安全を守るなど）でもよいことを伝える。

（2）　本時の展開

	生徒の活動（学習内容と活動）	指導上の配慮事項（○）と評価（※）
導入	1　将来の職業や生き方について考え，興味・関心を広げるための意見の交流を図る。 ●　本時の活動テーマを理解する。	○　小集団による意見交換。 ○　教師の資料による将来に関する情報の共有。 ○　事前指導での「１年○組の生徒が希望する将来の仕事」等の発表。 ○　P16『⑥わたしたちが働く理由』のふり返り。 ※　将来や職業等について考えようとする意欲が高まったか。【人・社】【理・管】

活動テーマ ／ 職業について考えてみよう

	生徒の活動（学習内容と活動）	指導上の配慮事項（○）と評価（※）
展開	2　『中学生活と進路』P39『この人の職業はなんだろう？』に取り組んでみる。 3　生徒一人一人が職業の名称のみについて回答してみる。 4　小集団での答え合わせを通して，共有を図る。 5　それぞれの職業について，自分たちの知っている情報を提供しながら，A，B，C等に回答する。 6　小集団から，話し合いのまとめや感想等について発表する。	○　導入時の情報の活用。 ○　自分の持つ知識や情報の積極的な提供。 ○　職業の条件，環境等から職業の多様性について気づかせる。 ※　自分なりに職業の概要について理解し，職業の特性やさまざまな条件について考えられたか。【キャ】【人・社】【課】 ○　各小集団からの発表の共有による，職業の考え方の整理。
まとめ	●　本時をふり返り，職業について学ぶことの大切さを理解する。	○　教師による働くことの価値観等を含めた指導。 ※　職業について学ぶことの重要性が理解できたか。【キャ】

（3）　事後の活動と指導

活動内容（活動の場面等）	指導上の留意点
●関心があるものから職業種を連想させ，それぞれの職業種に必要なことを考えさせる。（短学活，家庭学習）	●動物に関心がある場合，トレーナー，獣医，トリマーなどが挙げられ，それぞれに必要な知識・資格を考えさせる。

6　キャリア・パスポートへのつながり

■職業の知識
■職業理解の過程　＞　■職業から夢，進路へのつながり
■話し合いによる職業の考えの共有　＞　■キャリア・パスポート／進路や夢の確認資料

7　発展的な学習へのつながり

●職業について考えることは，キャリア形成における中心的な題材であり，活動等も多岐にわたり，生徒の意欲も高まりやすい。職場体験等も含めて，さまざまなキャリア教育とつなげたい。

職業について考えてみよう

■ワークシートのねらい

　生徒にとって未来の生き方や職業を考える活動は，好奇心が揺さぶられ学習意欲が高まりやすい学習です。そんな活動ですから，まずは将来に向け，ポジティブに活動することを念頭に置き，授業を展開してください。将来豊かな生活を送るためには働くことが必要となりますが，豊かな生活とは何を指すのかも含め，考えられるとよいでしょう。職業や仕事をいま現在どのように捉えているのか，確認するとともに自己理解を深められるとさらによいでしょう。自分に合った職業，やりがいのある職業について考えるきっかけとしましょう。

■ワークシート活用のポイント

○ 職業について共有した情報をもとに，A について回答する場面では，その職業の必要性まで話し合えるといいでしょう。

○ B について回答する場面では，その職業に就くには何が必要であるのかを考えることでキャリア形成につながることでしょう。

■「主体的・対話的で深い学び」へのポイント

○ 導入時の意見の交流が進むような資料（中学生1年生のなりたい職業ランキングや高校生・大学生人気企業等）を準備しましょう。

○『この人の職業は何だろう？』のエクササイズでは，図書館利用や ICT 活用による調べ学習での展開も考えられます。

○ 指導案5では A，B，C に答えることに終始するのではなく，その職業の必要性まで話し合えると職業観・勤労観がはぐくまれるでしょう。

■評価のポイント

○ 働くことや職業について，自分のこととして考えようとする意欲が高まったかが大切です。

○ 職業という言葉の意味を理解し，その職業の特性やさまざまな条件について，共有した情報から考えようとしているかを評価しましょう。

○ 何のために職業について学ぶのかが理解できるような声かけを。

人を相手にする仕事だね

この職業は？

専門学校で資格が取れるね

都会の方が多い仕事かなあ

■こんな時間と接続したら……

○ この単元はキャリア教育が展開しやすい，職業について考える活動です。この先の将来を考える基礎知識になりますので，今後のキャリア教育においてどんどん活用してください。

職業について考えてみよう

1年＿＿＿＿組＿＿＿＿番　氏名＿＿＿＿＿＿＿＿＿＿＿＿＿＿＿＿＿

1　『中学生活と進路』のP38-39を読み，職業について考えてみよう。

    A　何を相手にする仕事？
    B　この仕事をするには何が必要？
    C　この仕事をするためには，どこで生活することになりそう？
    D　職業の名前は何？

①	②	③	④
A	A	A	A
B	B	B	B
C	C	C	C
D	D	D	D
⑤	⑥	⑦	⑧
A	A	A	A
B	B	B	B
C	C	C	C
D	D	D	D
⑨	⑩	⑪	⑫
A	A	A	A
B	B	B	B
C	C	C	C
D	D	D	D
⑬	⑭	⑮	⑯
A	A	A	A
B	B	B	B
C	C	C	C
D	D	D	D

⑰	⑱	【ヒント】
A	A	■日常生活でお世話になる職業を参考にしよう。
B	B	
C	C	■身近な人の職業を参考にしよう。
D	D	

2　今日の学習で，職業（働くこと）について，どのように考えましたか。

中学1年 ⑧ 自分を見つめてみよう
■活動のテーマ／自分のよさはなんだろう

1 題材設定の理由

■指導観

　人にはそれぞれ個性があり，集団生活のなかでは，その個性を発揮し，活躍する場面がたくさんある。職業の世界においても，それぞれの個性，適性を生かした活動をしていくことにより，人の役に立ったり，個人の生きがいにつながったりする。

　自分の個性を見つめ直し，適性について考えることによって，今後の集団生活のなかで，自分の役割を意識したり，将来の勤労観・職業観につなげたりすることを目的とし，題材を設定した。

■題材観

　自分の生き方を考えるうえで，自分を見つめ，自分を知り，自分を考える能力をはぐくむことはとても重要なことである。いわゆる自己理解を深め，自分のバランスを調整する自己管理能力の育成は，キャリア教育の出発点ともなり得る能力である。本題材では，自分のことを見つめ直す機会を設け，自分の個性を特性としてとらえ，将来における自分のさらなる伸長に向け，自主的・実践的に力を発揮できる資質を養っていく。

2 本時の活動テーマ

> 自分のよさはなんだろう

3 目指す生徒の姿

■キャリア教育の視点で

・自分の特徴をまとめ，自分のよさを活かし今後の自己伸長の手がかりをつかめる生徒
・将来の夢や希望を持ち，夢の実現のために努力しようとする意欲・態度を持つ生徒

■特別活動の視点で

・自分の個性を理解し，学校生活に活かすことができる生徒

4 本時の評価規準

自分の個性について考える **知識・技能**	自分や他者の個性について考える **思考・判断・表現**	主体的に自分の個性について 理解しようとする **態度（主体性）**
●自分や他者の個性を理解している。	●自分の個性を知ることの重要性を理解し，個性のある自分について考えることができる。	●自分の個性について，主体的に理解しようと努めようとしている。
キャリア教育の評価の視点／評価規準から確認できる基礎的・汎用的能力		
□自己理解・自己管理能力	□キャリアプランニング能力	□人間関係形成・社会形成能力 □課題対応能力

5 展開
（1）事前の活動と指導

活動内容（活動の場面等）	指導上の留意点
●「ヒーロー・ヒロインの生き方調べ」（『中学生活と進路』P51）を各自調べて記入する。憧れの人の生き方を知ることで，その人の個性・特性がどのように職業と結びついているのかを考えさせる。（家庭学習等）	●調べた人物について，他の人の情報にもなることを知らせ，人物選びにも留意させる。 ●インターネット等，ひとつの情報で判断せず，幾つかの資料を確認するよう指導する。

（2）　本時の展開

	生徒の活動（学習内容と活動）	指導上の配慮事項（○）と評価（※）
導入	● 事前学習の内容を小集団で情報交換をする。 ● 本時の活動テーマを理解する。	○ 「ヒーロー・ヒロイン」がその職業に適していた特性について小集団で考えさせる。
	活動テーマ／自分のよさはなんだろう	
展開	1 自分の「個性」「適性」を知り，将来につなげる意識を持とう。 2 「自分を見つめてみよう」 　ワークシートの記入 　①自分の行動や考え方を自分で記入する。 　②小集団で友人の行動やどういう印象かを相互で記入する。(付箋紙を活用し，数人で)	○ 将来の希望が明確になっていない生徒がいるので，「自分を知る」ことが将来の夢や希望を見つけるきっかけになることを説明する。 ※ 事前学習を深め「個性」等について考えられたか。【理・管】 ○ 相互記入の場面では，相手の「よさ」を意識することを伝える。本人の気づかない「よさ」を見つけて，伝えられるとよい。 ○ 自分の特性が職業につながるという視点を持たせる。次時につなげる。 ※ 自分の個性を理解し，将来につなげることができたか。【キャ】【課】
まとめ	● 自分の「個性」「適性」について，これからの生活や進路にどのようにつなげていくのかまとめる。	※ 人の話を聞き，自分の意見や考えをまとめ，正確に本時のねらいにあった意見を発表することができる。【人・社】

（3）　事後の活動と指導

活動内容（活動の場面等）	指導上の留意点
●ワークシートの記入を確認し，自分に適した職業を考えさせる。	●前時の「自分の特性・個性」を見つめた内容を活用させる。

6　キャリア・パスポートへのつながり

■自分の個性，適性の理解 ■他者の個性への理解	■自己理解の過程 ■他者の理解の過程の積み重ねによる考え方	■自己理解はキャリア・パスポートの基本 ■キャリア・パスポートに直接的に作用する

●自己理解や他者理解は，キャリア形成の根幹であり，キャリア・パスポートを作成することにおいても，その基本的な裏づけとなる。

自分のよさはなんだろう

■ワークシートのねらい

キャリア形成を促すうえで，自己理解や他者理解の過程は，基本中の基本となります。自分を知ったり，考えたりする機会や方法は，生徒の日常にたくさん存在します。自分の「あこがれの人」の生き方が，将来に影響を及ぼす可能性もあります。それと同じように，自分を知る（自己理解）ことも，将来の夢や就きたい職業を見つけるきっかけになることでしょう。いまの自分自身を見つめ直し，友人からどう思われているのかを知ることで，自己理解が深まるはずです。そこから，「もっと伸ばしたいこと」「改めていきたいこと」を文章にすることで，自己管理能力がはぐくまれるはずです。

■ワークシート活用のポイント

○ 指導案２の場面は相手のよさを意識して，必ずひとつはそれぞれが違ったよさを示せるようにしましょう。

○ まとめでは個性や特性を完全に知ることは難しいことを押さえつつも，いまの自分からさらに進化（伸長）するにはどうすべきかを考えさせましょう。

■「主体的・対話的で深い学び」への ポイント

○導入場面では「ヒーロー＆ヒロイン」がその職業についた一番の理由を，話し合いによりひとつ見つけてみましょう。（負けん気，計画性，慎重さ等）意見が分かれた場合は複数でもよいでしょう。

○自分を見つめる場面では，「頑張りたいこと」を中心に考えさせましょう。場合によっては「やろうとしているができないこと」「やるべきだと理解しているがやれないこと」などにも焦点を当て，その理由について考えさせてみましょう。

好きなもの……

$$ax+bx+c=0$$
$$y=ax+b$$
$$y=\frac{a}{x}$$
$$\cdots etc$$

■評価のポイント

○ 自己理解を深めようとしているかを評価しましょう。また，友人のよさが理解できる，見つけようとすることは自己のキャリア形成にとってもポイントとなるでしょう。

■こんな時間と接続したら……

○ 自己理解や他者理解を深めるワークシートです。新しい班編成や行事前など互いのよさを理解する場面でも十分に機能します。

自分のよさはなんだろう

1年＿＿＿組＿＿＿番　氏名＿＿＿＿＿＿＿＿＿＿＿＿＿＿＿＿

私の性格

こんな行動を取りやすい

友人が記入した付箋紙を貼ろう。
友人はあなたをこう見ている！

私の好きなもの
（教科・スポーツ・食べ物など，なんでも書いてみよう）

私の特技

私の趣味

私の自慢（資格など）

自分を見つめて，もっと伸ばしたいこと，改めていきたいこと

10年後の社会と自分を考えよう
■活動のテーマ／10年後の社会と自分を考えよう

1　題材設定の理由

■指導観

　いま，実際に10年後を正確に予測するのは困難である。変化のスピードが速くなっている現状は間違いのない事実である。

　これからの時代，人口減少・少子高齢化等を要因とした問題，予測がまったくできない社会や環境の変化，日進月歩に進化する科学技術，それに挑戦しつづけなくてはいけない人間と，悲観的予測が多くされているが，生徒にとって将来を考えることは，いつの時代においてもポジティブなものでありたい。本題材では，夢や思いを大切にしながら理想を大切に10年後を想像させたい。

■題材観

　本題材では10年後の社会を想像しつつ，自分はどのように生きるかを考えさせたい。現実的・肯定的・否定的等社会に対するさまざまな捉え方はあるが，自分の将来を中心に置きながらキャリアプランニング能力をはぐくむため，この題材を設定した。自分なりに肯定的な将来を見据えつつ，これからの具体的キャリアプランを考えるきっかけとしたい。

2　本時の活動テーマ

> 10年後の社会と自分を考えよう

3　目指す生徒の姿

■キャリア教育の視点で

・さまざまな情報から，10年後の社会や自分について考えてようとする生徒
・自分の将来について，具体的に考えていく動機づけを高めることができる生徒

■特別活動の視点で

・人間としてのよりよい生き方について考えようとしている生徒

4　本時の評価規準

10年後の社会を考える 知識・技能	自分の10年後を考えようとする 思考・判断・表現	主体的に将来の自分について考えようとする 態度（主体性）
●さまざまな情報から，10年後の社会や事象について考えることができる。	●将来の社会状況を予測しながら，自分の10年後を考えることができる。	●将来の自分について，意欲的に考えようとしている。
キャリア教育の評価の視点／評価規準から確認できる基礎的・汎用的能力		
□課題対応能力	□キャリアプランニング能力	□自己理解・自己管理能力 □人間関係形成・社会形成能力

5　展開

（1）　事前の活動と指導

活動内容（活動の場面等）	指導上の留意点
●10年前の社会について，保護者の方にどんな社会だったかをインタビューする。（家庭学習等）	●ワークシートQ1を用いて，できるだけ詳しく10年前の社会についてインタビューしてくるようにさせる。

（2） 本時の展開

	生徒の活動（学習内容と活動）	指導上の配慮事項（○）と評価（※）
導入	1 活動のねらいの理解 ・教師による「10年前の社会」の説明を聞き，10年での社会の変化について考える。 ● 本時の活動テーマを理解する。	○ 10年前の出来事・10年の変化等について提示する。 ○ 「中学生活と進路」P52を参照する。 ○ 内閣府「Society5.0」の映像を視聴する。 ○ ICTの活用による情報を収集する。 ※ 10年前・後の変化について知り，理解できたか。【理・管】
	活動テーマ ／ 10年後の社会と自分を考えよう	
展開	2 ワークシートQ2「10年後の自分を想像してみよう」に取り組む。 3 「10年後の自分」について，小集団で発表し合い，共有化を図る。	○ 「中学生活と進路」P53を参照する。 ○ ワークシートを用いて，生徒一人一人が10年後を想像する。 ※ 10年後について総合的に考えながら，自分について想像している。【キャ】【課】 ○ 3，4人の小集団で「10年後の自分」について発表する。 ○ 相互による感想発表をさせる。 ○ お互いの考えを認め合うようにさせる。
まとめ	● 本時についての感想をまとめる。	○ 「10年後の自分」について自己評価する。 ○ 「10年後の自分」を小集団で共有した上で感想をまとめさせる。 ※ 10年後の社会や自分を考え，将来への意識が高まったか。【人・社】

（3） 事後の活動と指導

活動内容（活動の場面等）	指導上の留意点
●進路希望の変化や原因，10年後の社会，進路計画の必要性の感想をまとめる。 ●掲示・通信等による保護者等への発信。	●学級通信などに載せ，再考の機会とする。次の活動につなげる。

6 キャリア・パスポートへのつながり

■自分の将来を想像する過程
■10年後の自分の理解

■10年後の自分や社会を考える過程
■友人と想像を共有する

■自己理解はキャリア・パスポートの基本
■キャリア・パスポートに直接的に作用する

10年後の社会と自分を考えよう

■ワークシートのねらい

　生徒がイメージしにくい10年後の社会を考えさせる難しい活動ですが，個々の想像力を発揮させ，肯定的な10年後を考えさせましょう。生徒一人一人が10年後の社会を考えることで，自らの将来の姿を，想像を広げながら具体的に考えてくれることでしょう。よりリアリティーを持たせるために，保護者の方等からいままでの10年間で，社会がどのように変化してきたのか，事前にインタビューさせ，イメージを持ちやすくさせるのがよいでしょう。

■ワークシート活用のポイント

- ○ 生徒の発想により，工夫ある表現をさせましょう。
- ○ 色鉛筆の使用やイラスト等での表現も可能です。
- ○ 後の掲示やポートフォリオも意識させましょう。
- ○ 自分の仕事，住んでいる所，家族等，物理的なものだけでなく，10年後の自分の考えや思い等も中心の自分の絵に反映させましょう。

■「主体的・対話的で深い学び」へのポイント

- ○ 具体的にイメージした10年後の自分の姿を，小集団で交流させましょう。そうすることで，多様な考え方があることを知り，多面的・多角的に自分の将来の姿について考えることができるようにします。

■評価のポイント

- ○ さまざまな情報から，10年後の社会や自分について考えさせましょう。
- ○ 社会の様子と照らし合わせ，自分の将来について，具体的に考えることができていますか？
- ○ 肯定的な内容の方が多くなるようポジティブシンキングで！

■こんな時間と接続したら……

- ○ 将来の社会を考えて考えた自分の10年後の姿を，キャリア・パスポートに活用させましょう。
- ○ 将来を考える授業はたくさんあります。さまざまな教科で将来や未来を想像する時の参考にさせましょう。

10年後の社会と自分を考えよう

1年_____組_____番　氏名_____

1　身近な人に，10年前の社会はどんな様子だったのかインタビューしてみよう。

2　10年後の自分を想像してみよう。

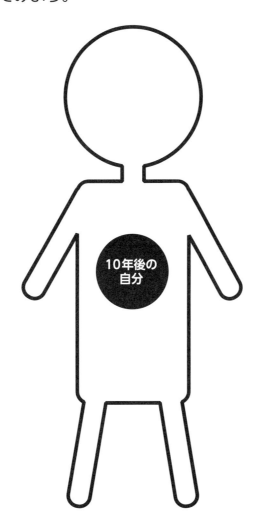

3　本時の学習内容をふり返り，感想を書こう。

進路について考えよう

■活動のテーマ／中学校卒業後の自分の進路を考えよう

1 題材設定の理由

■指導観

　生徒一人一人のキャリア形成と自己実現の指導における「主体的な進路の選択と将来設計」は，中学校の進路指導・キャリア教育において，具体的な「進路」を直接的に作用する活動となる。自分の中学校卒業後の進路選択に向け，考えを整理しつつ進路に対する意識を高めていくようにさせたい。

■題材観

　本題材では，これまで学んできた生き方に関する多様な考えをまとめながら，中学校卒業後の具体的進路選択に結びつけていく。2年後の進路選択の取組に向けて，自己実現への意欲の向上を図っていく。

2 本時の活動テーマ

> 中学校卒業後の自分の進路を考えよう

3 目指す生徒の姿

■キャリア教育の視点で

・将来に関するいままでの情報をまとめながら，中学卒業後の進路について考えられる生徒
・中学卒業後の進路選択において，必要な条件や考え等について理解している生徒

■特別活動の視点で

・話し合い活動を通して，進路選択をするために必要な情報の整理ができる生徒

4 本時の評価規準

中学校卒業後の進路選択をするための **知識・技能**	中学校卒業後の進路選択についての **思考・判断・表現**	主体的に自分の進路選択に取り組もうとする **態度（主体性）**
●中学校卒業後の進路選択に必要な情報を，理解することができる。	●進路選択に必要な情報をまとめつつ，中学校卒業後の進路について考えることができる。	●自分の進路選択に，意欲的に取り組もうとしている。
キャリア教育の評価の視点／評価規準から確認できる基礎的・汎用的能力		
□自己理解能力	□キャリアプランニング能力 □課題対応能力	□人間関係形成・社会形成能力

5 展開

（1） 事前の活動と指導

活動内容（活動の場面等）	指導上の留意点
●進路決定をどのようにしたか，学年の先生方の話を聞く。（学年集会）	●中学校卒業後の進路選択の話を一人ずつ行う。その後質問形式で共通の質問に一人一人答える形式をとる。

（2）　本時の展開

	生徒の活動（学習内容と活動）	指導上の配慮事項（○）と評価（※）
導入	1　情報を理解し，中学校卒業後の進路について考える。 ●　本時の活動テーマを理解する。	○　小集団による，中学校卒業後の進路と選択理由等についての共有を図る。 ○　「中学卒業後はどうする？」（『中学生活と進路』P62）の情報を参照する。 ○　兄姉，先輩等の情報を活用する。 ※　漠然とでも中学卒業後の進路について共有することができたか。【キャ】

> **活動テーマ ／ 中学校卒業後の自分の進路を考えよう**

	生徒の活動（学習内容と活動）	指導上の配慮事項（○）と評価（※）
展開	2　ワークシート「中学卒業後の自分の進路を考えてみよう」に取り組む。 3　進路選択の情報に関して話し合う。 　【話し合いを深めるポイント】 　①進路選択に必要な情報は 　②将来の目標を達成するための進路は 　③大人になった自分のイメージは 4　中学卒後の進路について，進路先と理由を考えることができたか。（ワークシート）	○　小集団により話し合いを深めつつ，自分の将来について考えながら共有する。 ○　『中学生活と進路』P62-63を参照する。 ○　「話し合いを深めるポイント」を参考に，進路を考えるために必要な情報を整理する。 ※　自分の進路選択に必要な情報等を理解することができたか。【キャ】【課】【人・社】 ○　個人による考えをまとめる。 ○　進路選択に必要な情報を精査し，進路先と理由を選択する。
まとめ	●　小集団により，進路先と理由についての共有を図る。	※　情報の活用，選択の理由，進路先の選択と段階を踏んで考えることができたか。【キャ】【理】【人】

（3）　事後の活動と指導

活動内容（活動の場面等）	指導上の留意点
●中学校卒業後の進路として，考えられる進路先へ進学するには，何が必要なのかを考える。（短学活・家庭学習等）	●3年生の進路選択に向けて，いま何ができるのか，何をする必要があるのかを考えさせる。

6　キャリア・パスポートへのつながり

■ある程度具体性のある進路選択
■中学卒業後の自分　➡　■進路先を選択した過程
■進路先について調査したり考えたりした事実　➡　■現時点での進路選択
■その理由

●現時点での進路選択として，具体的な進路先等をキャリア・パスポートに記入する。また，選択の過程についても，今後の意思決定に際し，大きく機能する。

中学校卒業後の自分の進路を考えよう

■ワークシートのねらい

中学校卒業後の進路選択は，中学校キャリア教育の目指す結果のひとつでもあります。これまで学んできた生き方に関する多様な考えをまとめながら，中学校卒業後の具体的進路選択に結びつけていくことは，２年後の選択に大きく作用していきます。現在の自分の興味や関心があることを挙げ，そのために「どんな学びが必要か」「この学びができるのはどんなところか」など，いまの自分と進路選択が直接的につながっていることを理解できるようにして，中学１年における進路の考えを中学２年へつなげていきましょう。

■ワークシート活用のポイント

○ 中学校卒業後の進路選択です。自校の情報等を資料としましょう。

○ 大多数の生徒が高校進学を選択しますので，上級学校の情報も提示しましょう。

就職？

進学？

中学卒業後の自分は？

■「主体的・対話的で深い学び」へのポイント

○ 指導案3「話し合いを深めるポイント」を参考に，進路選択に必要な情報をどのように整理したらよいか，多様な見方・考え方に気づかせましょう。

○ 兄姉や先輩等の話を参考に，将来の目標を達成するためにどのような進路を選択すればよいのか，自分の考えを深めるきっかけにしましょう。

■評価のポイント

○ 将来に関するいままでの情報をまとめながら，中学卒業後の進路について考えることができるよう，いままでのワーキングポートフォリオ（過去のワークシート）を活用させましょう。

○ 中学卒業後の進路選択において，必要な条件等についても考えさせることができれば，より深まります。

○ 主体的に話し合いをさせ，自己開示等ができるようになったら，共有は深まります。

■こんな時間と接続したら……

○ キャリアプランニングへの直接的なアプローチですから，以後の具体的な進路選択に活かしていきましょう。

○ 本ワークシートをそのままキャリア・パスポートに添付しておけば，説得力のある裏づけになります。

中学校卒業後の自分の進路を考えよう

1年＿＿＿組＿＿＿番＿＿氏名＿＿＿＿＿＿＿＿＿＿＿＿＿＿＿

● 中学校卒業後の自分の進路を考えよう。

①いま，興味関心があるものは？

②それを活かすにはどんな学びが必要？

③その学びを実現できる進路先は？

④現時点で考えている進路先の候補は？（いくつ記入してもかまいません。）

⑤そのなかで現時点での進路先は？

⑥その理由は？

● 担任からひと言。

● 保護者からひと言。

中学１年生，この１年をふり返ろう

■活動のテーマ／どんな自分になりたい？　そのためにあなたが身につけるものは？

1　題材設定の理由

■指導観

　中１ギャップ……中学校進学時に，学力不振，不登校，生徒指導上の諸問題の増加等，総称としての不適応と呼ばれる事象が顕在化することである。このワード自体はマイナスの印象を与える言葉だが，小学校から中学進学における環境の変化には，不安と同時に，大きな期待，夢や希望等，さまざまな興味・関心や意欲につながることがあるはずである。その生徒の期待をモチベーションとし，中１ギャップを乗り越えたくましく成長した生徒がほとんどであろう。そんな中学１年生のこの１年間のキャリア形成をふり返りながら，自分自身の目指す自分像を思い描き，将来の生き方を模索していくためのキャリア・パスポートを作成して次学年へのつながりと見通しをつくっていく。

■題材観

　中学校での学びや行事，部活動，そして友人との出会いなど，あわただしく過ぎ去っていった１年をふり返り，先の見通しを持って計画を立てていくことは，キャリア形成を促していくために必要な能力である。本題材により，生徒一人一人に夢や目標を持って生きる基本的な意欲や態度をはぐくみ，「一人一人のキャリア形成と自己実現」を支援する取組を次へつなげていく。

2　本時の活動テーマ

> どんな自分になりたい？　そのためにあなたが身につけるものは？

3　目指す生徒の姿

■キャリア教育の視点で

・小学校の自分と現在の自分をふり返り，１年間の成長を実感できる生徒
・中学２年に向けての，見通しや努力点を考え，意欲を高められる生徒

■特別活動の視点で

・適切なふり返りをし，適切な見通しを持つことができる生徒

4　本時の評価規準

中１をふり返り次の学年をイメージする 知識・技能	自分の頑張りたいところを考える 思考・判断・表現	中学１年目の目標を立てようとする主体的な 態度（主体性）
●この１年間をふり返ることができている。 ●中学２年生で頑張ることを整理できている。	●どんな大人になりたいか，そのためにどんなことを身に付けていきたいか考えることができる。 ●友人の考えを聞き，自分自身をふり返り，自分の身に付けたいところにつなげられる。	●中学２年での自分の努力点を考え，自ら次年度の目標を立てることができる。
キャリア教育の評価の視点／評価規準から確認できる基礎的・汎用的能力		
□自己理解・自己管理能力	□人間関係形成・社会形成能力 □課題対応能力 □キャリアプランニング能力	□キャリアプランニング能力

5　展開

（1）事前の活動と指導

活動内容（活動の場面等）	指導上の留意点
●ワーキングポートフォリオにより１年間をふり返る。（短学活，家庭学習等）	●入学後のすべての活動を丁寧にふり返り，自分の活躍や挫折した時の気持ちなどを思い出させる。

（2） 本時の展開

	生徒の活動（学習内容と活動）	指導上の配慮事項（○）と評価（※）
導入	● 小学生と中学生の自分の違いを考える。「小学校の自分と比べて変わったことはなんだろう？」 ● 本時の活動テーマを理解する。 **活動テーマ ／ どんな自分になりたい？　そのためにあなたが身につけるものは？**	○ 話し合いの活性化のために，身長など物理的なことでもよいのでふり返らせる。
展開	1　1年間で身につけたもの，得たもの，頑張ったことから，中学1年生を象徴する漢字を考える。 2　それを得るまでに努力したこと，頑張ったことは何か。 3　どんな大人になりたいか（「夢」），そのために中学2年で身につけるべきもの，頑張りたいことを考える。	○ 物理的なことだけではなく，内面的なものも注目させる。 ○ 発表を否定せず，お互いの頑張りを認め合う。 ○ 小集団により共有させる。 ※ 「1年間の成長」の発表を聞き，自分をさらにふり返ることができたか。【理・管】 ○ 「夢」については，自分の考えにより主体的に捉えさせる。 ○ 具体的な夢等が決まっている生徒は，そこから身につけたいものを考えさせてもよい。 ※ 将来の自分像をイメージできたか。【キャ】 ※ そのために必要なものが考えられたか。【課】【理・管】
まとめ	● 2年生で頑張りたいことを発表する。 4　新しい担任にメッセージを考える。	※ 2年生での頑張りたいことを立てることができたか。【人・社】【キャ】 ○ 「どんな自分を見ていてほしい？」「どんなことを伝えたい？」

（3） 事後の活動と指導

活動内容（活動の場面等）	指導上の留意点
●中学2年に向けてやるべきこと，目標を確認する。	●教師，保護者からのコメントを記入後，2年次の新担任に生徒個人から提出させる。（できれば年度当初の面談等で）

6　キャリア・パスポートのさらなる充実

■文部科学省や各自治体等で示しているキャリア・パスポートのサンプルを使用する場合
●本ワークシートの「1年生のふり返り」や「2年生の頑張りたいところ」等はキャリア・パスポートの十分な資料となる。
●本ワークシートをワーキングポートフォリオとして活用する。

■学校の状況を考慮し，既成のものをカスタマイズしたり，オリジナルのものを作成する場合
●キャリア・パスポートはキャリア教育を活性化させるものという視点に立つ。
●2年生で必要と思われる状況を網羅した総括ポートフォリオとして活用する。
●各学年のワーキングポートフォリオにより，総括ポートフォリオが機能し，各学年ごとの変容が見られる構成になるよう工夫する必要がある。

第一学年

■キャリア・パスポート（ワークシート）のねらい

　中学校に入学しさまざまな経験を積んだ1年だったと思います。もちろん将来についても少しずつ考えた1年でした。その1年をふり返るまとめのいまが，将来について考えさせ2年後の具体的進路選択へのきっかけになることでしょう。

　自分の思いを詰め込んだ漢字を，1年のふり返りや目標設定に使うことがよくあります。そのときの生徒の活動は和気あいあいとし，漢字一字に夢や希望，自分の思いを詰め込みます。本時はそんな「漢字」を考える過程をきっかけに，今年度のふり返りと来年度の目標設定をねらったものです。その内容はキャリア・パスポートの基本的な内容でもあります。このワークシートをキャリア・パスポートそのものとするのもよし，その基本資料とするのもよし。生徒の様子から生徒に生きるキャリア・パスポートにカスタマイズしてください。1年間のまとめとして配布し，生徒に取り組ませるだけのワークシートにするのはもったいないです。

■キャリア・パスポート活用のポイント

○「今年の漢字」は年末の話題になります。そのエッセンスを生かしつつ，楽しみながら取り組ませてください。

○キャリア・パスポートを想定していても，順番に考えていくことで，ふり返りから目標へのつながりができ，事前に考えが深まります。

○1年生です。抽象的な「夢」からでも，いま頑張らなくてはいけないことを考えさせましょう。

■「主体的・対話的で深い学び」へのポイント

○小集団で発表し，考えを共有させましょう。将来への思いは，前向きなものであった方が楽しいのは当然です。発表を否定するような雰囲気はなくし，お互いの頑張りを認め合えるようにしてください。

○「将来」や「未来」という言葉のイメージは，生徒が想像するだけでも大きなアドバンテージがあります。時間をかけてより生徒のイマジネーションを広げてあげてください。

○いままでのワーキングポートフォリオを活用することは，発想を深める深い学びにつながります。

○教師がどのようにかかわれるかが，キャリア・パスポートを機能させるためのポイントです。

■評価のポイント

○ふり返りから，次の目標設定につなげられたかが大きなポイントです。

○キャリア・パスポートという観点からは，いままでのワーキングポートフォリオを活用できたか，1年間の自己評価が確実にできたかという観点が大切になります。

■こんな時間と接続したら……

○キャリア・パスポートですから，次年度のスタートに活かさねばなりません。2年生の担任の先生への思いを受け止め，年度当初の面談やガイダンス等で活用してください。

○キャリア・パスポートのさらなる機能を果たすため，中2・3での資料として活用してください。

どんな自分になりたい？　そのためにあなたが身につけるものは？

1年＿＿組＿＿番　氏名 ｜＿＿＿＿＿＿＿＿｜　。**この1年！**

1　この1年を漢字一字で表現してみよう。／その理由も記入してみよう。

2　この1年間をふり返って，自分なりに一番頑張ったことと、その理由を記入してみよう。

一番頑張ったこと……

その理由……

3　あなたの将来の「夢」について、記入してみよう。／その理由も記入してみよう。

私は将来，｜＿＿＿＿＿＿＿＿｜という**夢**をもっています。

その理由……

4　この夢を実現するために，あなたが中学2年生で頑張りたいのはどんなことですか。

● 2年生の担任へひと言。　　● 担任からひと言。　　● 保護者からひと言。

① 中学校生活，主役は2年生！

■活動のテーマ／主役は自分！ 中学2年生でのサクセスストーリーを考えよう

1 題材設定の理由

■指導観

　緊張した中1を経て，中学校生活にも慣れた中2は中だるみが出てくる学年であるとよく言われる。しかし，新入生を迎え，学校生活にやりがいを感じ，中堅学年として充実した1年間を送ることができる学年でもある。学校生活の主役としての立場や役割を自覚させ，新たなる希望や抱負を胸に，さらに有意義な学校生活，学級生活を送る心構えを持たせることが大切である。2年生のスタートというタイミングで，自分なりにこの1年を見通し，自分のサクセスストーリーをイメージすることは，キャリア形成を積み上げていくうえで，大きな指針となる。

■題材観

　本題材では，抽象的な2年生の生活を昨年度のふり返りをすることにより，より具体的にイメージさせたい。中学生となり，毎日の学習，学校行事，係・委員会活動や部活動において意欲的に努力した事実や先輩からのアドバイス等により，中学2年生という毎日をどのように送っていくかという，具体性と意欲の高まりが期待できる。本時の内容を通して，2年生としての生活のあらましを理解し，さまざまな観点から自分の役割について考え，目標を設定し，学校生活をより充実させようとする意識を育てたい。

2 本時の活動テーマ

> 主役は自分！ 中学2年生でのサクセスストーリーを考えよう

3 目指す生徒の姿

■キャリア教育の視点で

・充実した学校生活を送るための適切な情報を収集し，中学2年生という生活を見通すことができる生徒

■特別活動の視点で

・学校生活をふり返り，1年間の見通しをもたせ，日常生活の向上を図ろうとする生徒

4 本時の評価規準

中学校生活を見通すために必要な **知識・技能**	中学2年という生活について考える **思考・判断・表現**	この1年について，主体的にイメージしようとする **態度（主体性）**
●中学2年生の学習や生活についてイメージできている。 ●中学2年生としての役割を理解している。	●先輩からの助言や情報をもとに中学校の主役として，どのような2年生になりたいのかを考えようとしている。	●教師や先輩からの助言，話し合い活動での意見を参考に1年間の見通しをもち，学校生活に活かそうとしている。
キャリア教育の評価の視点／評価規準から確認できる基礎的・汎用的能力		
□キャリアプランニング能力	□自己理解・自己管理能力 □課題対応能力	□人間関係形成・社会形成能力

5 展開

（1） 事前の活動と指導

活動内容（活動の場面等）	指導上の留意点
●学級開きを行い，自己紹介を済ませておく。（学活）	●自己紹介では，昨年度の思い出を語ったり，自分の好きなものを表現したりさせる。
●3年生に各項目のアドバイスワークシートを依頼する。（現3年生の2年次末のキャリア・パスポート等の活用）	●アドバイスは，生徒に見せる前に内容をよく確認しておく。

（2）　本時の展開

	生徒の活動（学習内容と活動）	指導上の配慮事項（○）と評価（※）
導入	● 昨年度の中学校生活をふり返る。 ● 本時の活動テーマを理解する。 **活動テーマ ／ 主役は自分！ 中学２年生でのサクセスストーリーを考えよう**	○ 過去の自分を見つめることで，なりたい自分のイメージにつなげていく。
展開	1 ３年生に書いてもらったアドバイスシートを小集団で共有し，意見交換を行う。 2 この１年間の「自分の努力点」や「この１年間のあらすじ」を記入する。（ワークシート） 3 自分がイメージした「サクセスストーリー」を小集団内で発表する。	○ できるだけ多くのアドバイスシートに目を通し，先輩の成功体験を知る。 ○ 自分が興味あるもの，真似したいと思うものについて考えさせる。 ○ 見通しを持たせることで，イメージをふくらませ，意欲を高めさせる。 ※ アドバイスシートから２年生の生活をイメージできたか。【キャ】【課】 ○ 自分がどのように成長したいかを，じっくり考えさせる。 ○ 話し合いにより努力点を具体的にイメージする。 ○ イラストも描くことでこの１年間のイメージを具現化させる。 ※ 先輩からの助言や情報をもとにどのような２年生になりたいのかを発表している。【社】【理・管】
まとめ	● 友人の発表から自分の努力点をふり返る。先生の話から，本時の活動をふり返る。	○ 教師が何人かの発表についてピックアップし，間接的なモデルとして紹介する。

（3）　事後の活動と指導

活動内容（活動の場面等）	指導上の留意点
●保護者の方からのコメント。（家庭学習） ●教室内掲示による視覚化。	●保護者の方から励ましのメッセージをもらうことで生徒の自己肯定感を持たせる。 ●教室内に掲示することで，設定した目標に向かって努力するための動機を保たせる。

6　キャリア・パスポートへのつながり

■中学２年生の努力点 ■中学２年生の目標 ■この１年のサクセスストーリー	■中学２年の学校生活の規準 ■１年間の自分の行動の柱 ■さまざまなタイミングでのふり返りの項目 ■自己評価の規準　など	■中学２年の学校生活の評価としてキャリア・パスポートに反映

●学期末等にふり返りを行い，自己評価をすることによって，キャリア・パスポートの資料となる。また，本授業で立てたこれら１年間の目標を再確認することで，１年間の自分の行動の柱とする。

主役は自分！ 中学2年生でのサクセスストーリーを考えよう

■ワークシートのねらい

　中学校2年生になると新入生を迎え，一層学習や係・委員会等のさまざまな面で意欲的に学校生活を送ろうとする気持ちが強くなります。自分が主役のサクセスストーリーを考えることで，前向きな気持ちで新学期をスタートさせ，やる気を継続させましょう。サクセスストーリーの実現に向け，この1年間の見通しを持ち，設定した目標を達成するための手段としましょう。

■ワークシート活用のポイント

○ 3年生アドバイスシートの質問項目
　中2の生活のポイントについて，各項目でアドバイスをもらいましょう。
　　テストは？／部活は？／生徒会は？／交友関係は？
　　体育祭は？／合唱祭は？／受験は？／進路は？　等
○ 3年生からのアドバイスシートを活用することで，より学びが深くなります。
○ 色鉛筆等を用意し，絵で表現するなどして，ワークシートを彩りましょう。

2年生は中学校生活の主役！

■「主体的・対話的で深い学び」へのポイント

○ 小集団での発表の場では，発表者の方に目を向け，丁寧に傾聴させましょう。発表内容について質疑応答を設けて，多方面から話を展開することでより具体的に自分の描いたストーリーを表現させましょう。
○ 教師が何人かの発表についてピックアップし，間接的なモデルとして紹介することで，考えが上手くまとまらない生徒の手助けとなるようにしましょう。

■評価のポイント

○ 先輩からの助言や自分が頑張りたい事柄をもとに前向きな内容が書けているかどうかは，キャリアを考えるうえでの深まりをつくります。
○ 中学2年生の学習や生活についてイメージし，1年間の頑張りたいことを主体的に表現することがポイントになります。

■こんな時間と接続したら……

○ 学ぶことの意義や目的，自分の可能性や社会的自立について考えたことは，2学年の学校生活を確立する柱になります。
○ 2学年のスタートについて，キャリア・パスポートの大きな柱となります。
○ 年度末のふり返りにも活用しましょう。

主役は自分！ 中学２年生でのサクセスストーリーを考えよう

2年＿＿＿組＿＿＿番

私,＿＿＿＿＿＿＿＿＿＿＿＿＿＿＿＿のサクセスストーリー

学習	学級活動

交友関係	(　　　　　　　　　　)

● 自分がイメージする１年間のあらすじを書こう。

● 担任からひと言。

● 保護者からひと言。

中学2年

② 集団生活をよりよくするために
■活動のテーマ／よりよい集団生活をおくるために自分ができることを考えよう

1　題材設定の理由
■指導観
　今後の人生における学校生活や社会生活は，友人や地域等のさまざまな人とのかかわりを持つことで成り立つ。また，中学校2年生の発達段階にあって，心の成長とともに人とのかかわりを客観的に考える時期である。そこで，集団のなかでの他者とのかかわり方について理解を深めるとともに，体験等を通して人の気持ちを考えた言動を学び，思いやりの精神を育てることは，生徒一人一人のキャリア形成をはぐくみ，生き方の基本である社会的自立を促すこととなる。
■題材観
　本時は集団のなかで自分を生かすことや自分の役割の大切さを自覚させるとともに，実生活のなかで自分のよさを生かす力を身に付けることをねらいとしている。ワークシートを用いて，自分の学級での役割を再認識させ，学級で起こったポジティブなエピソードをもとに集団の一員として自分のよさを生かせる場面を考えさせ，自己理解を図りながら人間関係形成・社会形成能力をはぐくんでいきたい。

2　本時の活動テーマ

> よりよい集団生活をおくるために自分ができることを考えよう

3　目指す生徒の姿
■キャリア教育の視点で
・自分自身が，集団の一員としての役割をもっていることを自覚することができる生徒
・協働の重要性に気づき，集団のなかで自分ができることを主体的に考えることができる生徒
■特別活動の視点で
・集団の一員として学級や学校におけるよりよい生活づくりに参画できる生徒

4　本時の評価規準

よりよい集団生活のために必要な **知識・技能**	よりよい集団生活を送るための **思考・判断・表現**	よりよい集団生活を，主体的に実践しようとする **態度（主体性）**
●社会生活を支えるための，集団の大切さを理解できたか。	●集団生活を支えるために，自分がすべきことについて考えることができたか。	●人と人のつながりの大切さを意識し，お互いを尊重する意識が高まったか。
キャリア教育の評価の視点／評価規準から確認できる基礎的・汎用的能力		
□課題対応能力	□キャリアプランニング能力 □自己理解・自己管理能力	□人間関係形成・社会形成能力

5　展開
（1）　事前の活動と指導

活動内容（活動の場面等）	指導上の留意点
●「学級での生活の満足度をはかろう」（ワークシートQ1）に取り組む。（短学活・学級活動）	●ワークシートQ1のみ実施する。 ●結果についてその理由等も自分なりに考えさせる。

（2）　本時の展開

	生徒の活動（学習内容と活動）	指導上の配慮事項（○）と評価（※）
導入	1　「学級での生活の満足度をはかろう」（ワークシート Q1）のふり返りを行う。 ● 本時の活動テーマを理解する。	○　小集団により，自分の結果を発表し，共有化を図る。 ○　その理由についても共有し合う。 ○　満足度が高い・低い生徒の理由も明確にさせる。 ○　よい集団について考えさせる。 ※　集団生活の大切さが理解できたか。【課】 ○　よりよい集団への意識を明確にさせる。
	活動テーマ／よりよい集団生活をおくるために自分ができることを考えよう	
展開	2　「学級のためにできることのチェックリスト」（ワークシート Q2）に取り組む。 3　2を参考にしながら「学級をよくするためにできることは何だろう？」（ワークシート Q3）に取り組む。	○　エピソードを語るように，過去の体験から考えさせる。 ○　自分のできることを考え記入する。 ○　答えた後に小集団で共有化を図る。 ○　集団で生活するうえで，みんなが安心して生活できる学級にするための具体的な取り組みについて考えさせる。 ○　日常生活に目を向け，ふり返りにもつなげる。
まとめ	● 「学級をよくするためにできること」をまとめる。 ● 学級をよくするために自分ができることを考え発表する。	○　Q3の答えを小集団で共有し，具体的方策を立てる。 ○　自分のできることにつなげることを意識させる。 ○　自分のできることを決意させる。 ※　学級改善の方策について自分なりに考えることができたか。【理・管】【キャ】【課】

第二学年

（3）　事後の活動と指導

活動内容（活動の場面等）	指導上の留意点
●記入の終わらなかった生徒は記入する。（家庭学習） ●学校生活における満足度アンケートを学期末等のタイミングで実施する。	●本時の内容を実施前後で，学級全体の満足度等の変容を確認し，今後の新たな学級の課題等に活用する。 ●学級通信等を通して，学級での取組を保護者や地域と共有する。

6　キャリア・パスポートへのつながり

■自分ができることの理解
■集団での協働の意識

■学級改善の過程
■他者との協働による改善の過程

■キャリア・パスポート／課題の確認と改善へのステップ

よりよい集団生活をおくるために自分ができることを考えよう

■ワークシートのねらい

中学2年生という発達段階は，集団における自己の立場を客観的に捉えることが可能となる時期です。学級という社会において，自分がどのように集団に貢献できるかを主体的に考えることができるでしょう。本時のワークシートでは，現在の学級における立場をふり返り（自己理解能力），自分のよさを集団に生かし（社会形成能力），今後のキャリア形成につなげていきます（キャリアプランニング能力）。このようなキャリア形成が身についていくことにより，中学2年生として，学校の中核として活躍する自覚も期待できます。

■「主体的・対話的で深い学び」へのポイント

○ 多くの生徒に発表させることで，他者の意見を自分の考えに反映させましょう。
○ ワークシートへの記入の時間を多めにとって，自分の考えを深めさせましょう。
○ 集団生活の改善という具体的テーマで友人と共有を図るプロセスは，必然的に対話的な学びとなり，人間関係形成のツールとなります。

■ワークシートの活用ポイント

○ ワークシートQ1は事前に記入させて，授業の冒頭からつかえるようにしましょう。
○ 結果をまとめておくのもいいかもしれません。自分たちの考えが反映されている資料は生徒の興味関心を向上させます。
○「学級をよくするために……」は，学級にとってポジティブなエピソードをそえて記入させてください。

集団生活を送るために大切なことは？

みんなで協力！

■評価のポイント

○ 本活動のポイントは，次から自分は何をしていけばいいのか考えさせること。Q3に時間をかけてください。そして，話し合いの中身も拾ってあげましょう。
○ 今後のキャリアに反映していくのかを確認することが大切です。

■こんな時間と接続したら……

○ 学期末や学年末のふり返りに活用しましょう。
○ 学級生活や行事等のふり返りに活用してみるのもいいでしょう。
○ 生徒が変容する過程を，キャリア・パスポートの次のステップへ活用させましょう。

よりよい集団生活をおくるために自分ができることを考えよう

2年＿＿＿組＿＿＿番　氏名＿＿＿＿＿＿＿＿＿＿＿＿＿＿

1　学級での生活の満足度をはかろう！　当てはまる評価に○をつけよう。

【当てはまる ← 4・3・2・1 → 当てはまらない】

No.	学級での生活について	評価
1	学校に行くのは楽しい？	4　3　2　1
2	学級は明るく楽しい？	4　3　2　1
3	学級はみんなで協力し合えている	4　3　2　1
4	学級で行事などに仲よく参加できている	4　3　2　1
5	友人へのあいさつをしっかりとできている	4　3　2　1
6	友人のよいところを見つけることができている	4　3　2　1
7	学校や学級のルールを守れている	4　3　2　1
8	教室は整理整頓されていて過ごしやすい環境である	4　3　2　1
	合計点（評価の数字の合計）	（　　　　）点

2　学級のためにできることのチェックリストに答えよう！

【できる ← 4・3・2・1 → 難しそう】

No.	学級での生活について	評価
1	自分の係や委員会などの役割を最後までやりとげる	4　3　2　1
2	給食当番や生徒当番などを，まじめに行う	4　3　2　1
3	各授業に対し積極的に取り組む	4　3　2　1
4	班活動に積極的に参加する	4　3　2　1
5	学級ルールをしっかりと守る	4　3　2　1
6	学校行事に対し，全力で取り組む	4　3　2　1
7	学級の雰囲気をもりあげ，協力する	4　3　2　1
8	相手の立場に立ってものごとを考えられるようにする	4　3　2　1
9	はげまし・応援をできるような気持ちを持つ	4　3　2　1

3　学級をよくするためにできることは何だろう？

誰が？	どんなこと？	必要なもの

● 学級をもっとよくするために，自分ができること‼

安全な生活を守るために

■活動のテーマ／災害が起きたとき，どうする？

1 題材設定の理由

■指導観

さまざまな危険のなかでも，近年大きな被害をもたらしている自然災害について取り上げ，自分自身の生命を自分で守るためにはどうしたらよいのかを深く考えさせることは，安全な生活を営む社会的自立に大きくつながっていく。

そこで，自分の住んでいる地域は地理的にどのような特徴がある場所なのか，また過去にはどんな災害が起きたのか，身近な人からの聴き取り活動を通して，今後どのような対策が必要なのか，また中学生にできることは何かということに気づかせたい。地震や自然災害などの危険からのがれるための知識を身に付け，安全な生活を送るための意識の向上と心構えの育成とともに，地域のなかで役に立つことは何かを考え，主体的に地域に貢献しようとする生徒の育成を図りたい。

■題材観

中学生を取り巻く現在の社会には，安全のみならず生命まで脅かすさまざまな危険や事故の原因が存在している。飲酒，喫煙，薬物，情報機器による犯罪，通学路にひそむ危険や予期せぬ事故はもちろんのこと，いつやってくるかわからない地震や自然災害から身を守るための知識と意識が必要となるため，この題材を設定した。

2 本時の活動テーマ

> 災害が起きたとき，どうする？

3 目指す生徒の姿

■キャリア教育の視点で
・危機や危険から身を守る方策について，共有し考えることで危機管理意識を高めることができる生徒
■特別活動の視点で
・私たちの身のまわりに存在するさまざまな危機や危険について気づき，安全を図ろうとする生徒

4 本時の評価規準

安全な生活を守るために必要な **知識・技能**	災害発生時の危機管理をイメージする **思考・判断・表現**	安全な生活について， 考え自ら守ろうとする **態度（主体性）**
●安全な生活の重要性を理解し，日常生活を安全に送る意識と心構えをもち，対応策を考えることができたか。	●居住している地域にある危険な場所の確認と，災害時に起こりうる危険に対応する策を導き出すことができたか。	●災害後，地域のためにできることを考え，参加しようとする意識と心構えを持つことができたか。
キャリア教育の評価の視点／評価規準から確認できる基礎的・汎用的能力		
□自己理解・自己管理能力	□課題対応能力 □人間関係形成・社会形成能力	□人間関係形成・社会形成能力 □キャリアプランニング能力

5 展開

（1） 事前の活動と指導

活動内容（活動の場面等）	指導上の留意点
●事前に居住地区の危険な箇所について情報を家族や地域から集める。（事前にワークシートQ1に記入，家庭学習） ●ハザードマップを入手し，危険箇所や予想される場所について確認する。	●地域にどんな危険が予想されるのか，また過去に起きた災害について家族から聞き取り調査をし，実態を把握する。 ●インターネットを活用させる。

（2）　本時の展開

	生徒の活動（学習内容と活動）	指導上の配慮事項（○）と評価（※）
導入	● 地域に起こる可能性のある自然災害や過去に起きた災害について発表する。（宿題などで，事前にワークシートに記入） ● 本時の活動テーマを理解する。	○ 事前調査の発表から，どんな自然災害が発生しやすいのか興味・関心をもたせる。 ○ ハザードマップを活用し，地域の地理的条件から発生する災害の可能性について考えさせる。 ○ 地域の実態を考えさせる。

> **活動テーマ ／災害が起きたとき，どうする？**

	生徒の活動（学習内容と活動）	指導上の配慮事項（○）と評価（※）
展開	1 災害が起きたときに，どう行動したらよいのか，すべきことは何かを話し合い発表する。 2 「釜石の奇跡」を読み，災害時の対応について考える。 3 災害が発生した後に，「避難場所に避難した」と想定して，「自分ができることは何か」について小集団で討議する。（ワークシートQ3）	○ 話し合いにより，小集団としての意見と理由をまとめる。 ○ 災害で命を守るためにはどうすべきか，事前に学習し知識を深めておくことや，自助（自分の命は自分で守る）のための大事な行動を，Q1で話し合ったことや「釜石の奇跡」から考えたことを確認させる。 ※ 地域にある危険な場所の確認と，災害時に起こりうる危険に対応する策を導き出すことができたか。【課】【キャ】 ○ 学校が指定避難場所になっていることを知らせる。 ＜予想される反応＞……ボランティア活動，避難誘導，救護や応急手当，避難所での物資の仕分け，避難所の清掃など ※ 日常生活を安全に送る意識と心構えをもち，対応策を考えることができたか。【理・管】
まとめ	● 危機に備えて自分自身で備えておくことは何か，できることは何かを具体的に考えをまとめる。	※ 災害後，地域のためにできることを考え，参加しようとする意識と心構えを持つことができたか。【人・社】

（3）　事後の活動と指導

活動内容（活動の場面等）	指導上の留意点
●ワークシートを確認して，考えたことや感想などを発表する。（学活・短学活・避難訓練時など） ●本時の活動を情報として学級通信等で紹介し，他者の考えを知ったうえで，家庭で話し合いをもち情報の共有をして，自分の今後の生活に生かす。	●いつ起きるかわからない災害に対して，思いが風化されないように，関連性のある報道があったときには喚起できるように話をする。 ●保護者への啓発も含めて保護者会等で話題にし，家庭でも「約束事」について話し合いを持っていただき，恒常的に意識を高めるようにする。

6　キャリア・パスポートへのつながり

●安全・安心な生活や生命尊重の意識を明確にし，生き抜くという視点でキャリア・パスポートに反映する。
●安全な生活を守るために考えた過程を今後の自分の自立へ生かす。
●本時で考えた内容について，日常生活に具体的に生かし，日常の安全につなげていく。

7　発展的な学習へのつながり

●理科，保健体育への予備知識として連携を図る。
●保健安全行事（避難訓練）等，命をつながりに生命尊重を総合的に学ぶステージとする。

第二学年

災害が起きたとき，どうする？

■ワークシートのねらい

毎年のように報道される自然災害の恐怖。その被害等の状況は，私たち自身が実感し，いまや本課題は地球的規模の問題となっています。このようなグローバルな問題について，学級活動等で自分自身の問題として，生徒一人一人が考えていくことは，私たちの生活を守るうえで，一番近道となるかもしれません。

私たちは，まだ記憶に新しい東日本大震災という大災害を経験しています。その教訓を活かしつつ，安全な生活について考え，市民としての社会的自立を促していきましょう。

■ワークシート活用のポイント

○ 災害対策に関するさまざまな資料を活用することで，よりリアリティの高い授業が展開できます。
○ ICT や図書の活用も十分に機能します。
○ ワークシートは他者と交換し，共有のツールにしましょう。

■「主体的・対話的で深い学び」へのポイント

○ さまざまな視点で物事を考え，話し合いができるよう，机間指導でアドバイスしましょう。
○ 多様な災害のさまざまなエピソードは，生徒の考えを深める資料になります。ただし，取り扱いには十分な配慮が必要です。
○ 災害に関するリアルな情報は考えを深める資料として，十分に活用できます。ただその扱いについては，生徒個人の環境を十分に配慮してください。

みなさんは
自分で避難
できますか？

■評価のポイント

○ いかに自分のこととして捉えられているかが大切。Q2，Q3 は特に真剣に考えさせましょう。
○ 最後に，災害が起きた時，自分は何ができるのかをしっかりとまとめさせましょう。

■こんな時間と接続したら……

○ 災害等の総合的な知識の共有として，理科，保健体育等で十分に機能します。
○ 保健安全指導の観点で，避難訓練等の事前・事後指導として活用できます。
○ 地域の防災訓練等，地域へ目を向ける大きな機会としたいところです。

災害が起きたとき，どうする？

2年_____組_____番　氏名_____

1　あなたの住んでいる地域について考えよう。

①	過去にどんな自然災害が起きたのか，家族や地域の人に聞いてみよう。	
②	起きる可能性のある自然災害についてハザードマップから考えてみよう。	
③	自分の命を守るためには，どのように行動するとよいだろうか。	

2　災害が起きたときにどのように行動したらよいだろう? グループで意見を出し合って考えてみよう。

《確認》

大きな災害が起きたとき，一番はじめにすることは，（　　　　　　　　　　　　　　　）です。

【資料：釜石の奇跡】

　15,800人以上もの人々の命が奪われ，今なお約2,660人が行方不明となっている2011年3月11日の東日本大震災で，岩手県釜石市の3,000人近い小中学生のほぼ全員が避難し奇跡的に無事だったことは多くの人に希望を与えている。

　その最たる例が，市内でも最も大きな打撃を受けた鵜住居地区の子供たちだ。マグニチュード9.0の地震発生直後，釜石東中学校の生徒達は直ちに学校を飛び出し，高台をめがけて走った。彼らを見て，近所の鵜住居小学校の児童や先生達もあとに続き，さらには多くの住民もそれに倣った。

　中学生たちは年下の児童達を助けながら走り続け，安全な場所に一緒に辿りついた。その時，彼らの背後では巨大な津波が学校を，そして町を飲み込んでいた。

　釜石市では1,000人以上が亡くなったが，学齢期の子供の犠牲はたまたま津波が襲った時に学校にいなかった5人のみだった。子供たちが無事に避難し命を救えた話は「釜石の奇跡」として知られるようになった。

（政府広報　MADE IN NEW JAPAN より）

3　自然災害の後，指定避難場所に避難したとき，地域の人のために自分にできることは何か，考えてみよう。

●　この学習を通して，自然災害にあったときにどうしたらよいのか，また地域の人のためにできることは何かを含めてまとめてみよう。

④ 中学卒業後の学びの道
■活動のテーマ／さまざまな上級学校を知ろう

1 題材設定の理由

■指導観

　2年生になると卒業後の進路に関する情報も豊富になるが，まだまだ自分自身の進路決定と結びつかない生徒が多い。また中学校卒業後の進路のみに気を取られ，「将来の自分」を思い描くことを忘れがちになってしまう時期でもある。そこで，生き方を考えるうえで，上級学校とさらに上級学校卒業後の進路について考えさせ，将来の自分を思い描きながら，多様な考えを知り，自分の生き方について意識させたい。

■題材観

　生徒にとって，中学卒業後の進路選択について具体的に考えていくことは，学校生活や日々の学びのなかで培ってきた，キャリア形成と自己実現の成果を活かすひとつのステージである。本題材では上級学校調べという体験的な学習を通して，中学校卒業後の進路選択という過程に凝縮された，進路情報，自己理解，適性，保護者の意向，多様な環境等さまざまな要素を見極め，主体的に進路選択に取り組む自主的，実践的態度を養いたい。この上級学校選択を通して養った進路選択能力等が将来の生き方に影響を与えるキャリア発達につながっていく。

■指導の背景等

　中学校生活の現実として，中学卒業後の進路選択は，越えなくてはならないハードルでもある。中学2年生というキャリア発達の段階において，卒業後の進路について考えることは，決して早いタイミングではない。社会が大きく変化し，先の見えないこの状況下では，早めに情報収集し，卒業後の進路にじっくり目を向ける必要がある。

2 本時の活動テーマ

> さまざまな上級学校を知ろう

3 目指す生徒の姿

■キャリア教育の視点で
・上級生の進路選択や学ぶ制度やその機会，上級学校の種類や特徴等の進路情報を収集して知ることができる生徒
・自己理解を図り，活用して将来の目標に向けてプランニングができる生徒

■特別活動の視点で
・将来への希望や目標を持って生きる生徒

4 本時の評価規準

中学校卒業後の進路選択のために必要な 知識・技能	自分の近い将来を考えることができる 思考・判断・表現	中学校卒業後の進路について，主体的にイメージしようとする 態度（主体性）
●進路情報の必要性と収集方法等について，理解できたか。	●本時で得た情報等が，自分の進路選択に活かす契機となったか。	●主体的に上級学校調べに取り組めたか。 ●進路選択に向けての，自分なりのイメージが広がったか。
キャリア教育の評価の視点／評価規準から確認できる基礎的・汎用的能力		
□課題対応能力	□キャリアプランニング能力 □自己理解・自己管理能力	□人間関係形成・社会形成能力 □キャリアプランニング能力

5 展開（2時間扱い）

（1） 事前の活動と指導

活動内容（活動の場面等）	指導上の留意点
●上級生の進路情報を収集する。（家庭学習）	●進路選択に必要な情報を調べながら，卒業後のさまざまな道を幅広く考えさせる。

（2） 本時の展開（2時間扱いの展開例）

	生徒の活動（学習内容と活動）	指導上の配慮事項（○）と評価（※）
導入	**中学卒業後の進路 (1/2)** 1 活動のねらいの理解 ・『中学生活と進路』P22「中学校卒業後に先輩たちが選んだ道」を読んで，小集団で意見を発表する。 ・上級学校の種類について調べ発表し共有する「上級学校調べ」を実施する。 ● 本時の活動テーマを理解する。 活動テーマ ／さまざまな上級学校を知ろう	○ 上級学校進学率の高さを知る。 ○ さまざまな上級学校等，その情報の多様さについて知る。 ○ 「中学生活と進路」P22-27 を参照する。 ※ 進路情報の必要性と収集方法等について，理解できたか。【課】
展開	2 上級学校について調べる。 ・校種分類の後，上級学校の調べ学習を開始する。 ・調べる内容を分担し，それぞれでワークシートにまとめる。 3 次時が報告会であることを確認する。 ・完成しなければ，家庭学習とする。	○ ICT 機器や進路図書，昨年度のパンフレット等，資料を整理しておく。 ○ 小集団により，校種別に調査を行う。(高等学校，高等専門学校，専修・各種学校等)また，高等学校においては，さらに「学科」「公立・私立」「全日制・定時制」「通信制」等に分類する。 ○ 表現方法に工夫を持たせる。 ※ 主体的に上級学校調べに取り組めたか。【人・社】【キャ】
展開	**中学卒業後の進路 (2/2)** 4 上級学校調べ報告会で発表する。 ・口頭での簡単な発表とする。 ・発表後の質疑応答により，調査内容を深める。	○ まとめ方はワークシートを活用する（生徒の工夫によるまとめも可とする）。 ※ 本時で得た進路情報等が自分の進路選択に活かす契機となったか。【キャ】【理・管】
まとめ	● 報告会の感想をまとめる。 ● 教師による報告会の活用や進路選択の今後の流れ等を聞く。	○ ワークシートのまとめや発信の仕方を工夫する。

（3） 事後の活動と指導

活動内容（活動の場面等）	指導上の留意点
●他の小集団のワークシートを読む。	●幅広い情報を知る機会を与える。 ●ワークシートの情報をさまざまな工夫により共有化する。

6 キャリア・パスポートへのつながり

■上級学校調べ ▶ ■上級学校調べの過程による進路意識の向上　■上級学校調べから広がる進路選択への関心の高まり ▶ ■上級学校等の知識や興味・関心がキャリア・パスポートに活きる

7 発展的な学習へのつながり

●上級学校訪問，職場体験等，実際の体験学習に向け，その事前・事後指導の役割を果たす。

さまざまな上級学校を知ろう

■ワークシートのねらい

　自分の進学したい学校，興味・関心のある学校……。そんな学校を自分なりに調べて，みんなで共有することが大切です。色々な情報を収集し，自分なりに取捨選択しながら，自分の考えた進路情報を発信させましょう。枠にとらわれず，個人でそれぞれが思うようにまとめさせたいところです。発表後は掲示し，さらに情報交換が深まるようにしましょう。ポスター，新聞，リーフレット等，パフォーマンスに凝った，みんなが分かりやすいポートフォリオを意識してください。

普通科？

専門学科？

工業科？

■ワークシート活用のポイント

○ 掲載内容のヒント
　□ 教育目標（校風）
　□ 場所（○○中からのルート）
　□ 学校の最大の特色は‼
　□ 時間割　□ 行事　□ 部活動
　□ 修学旅行　□ １年間の費用
　□ 年間予定　□ 制服
　□ 卒業後の進路
　□ 活躍する卒業生
　□ 調べてみての感想　など

■評価のポイント

○ 進路情報の必要性と収集方法は基本なので，しっかりと理解させましょう。
○ 資料の活用や調査方法は生徒の情報リテラシーに期待しましょう。
○ 本時で得た情報等を，自分の進路選択に活かす契機としましょう。生徒にとっては，卒業後の進路について具体的にふれる最初の機会です。

■「主体的・対話的で深い学び」へのポイント

○ 内容やレイアウト等についても，友人とヒントを交換して進めさせましょう。
○ 調べる内容の分担や上級学校の特徴をとらえた発表を簡潔にできるよう，話し合い活動の時間を十分に確保しましょう。
○ 最後の感想記入は，個に昇華する過程とするため，他者とは話し合わない方がよいでしょう。

■こんな時間と接続したら……

○ 総合学習「上級学校訪問」の事前活動として活用します。
○ ３年次における高校見学等の参考資料になります。
○ みんなのワークシートをまとめ，オリジナルの高校ガイドブックもつくれます。

さまざまな上級学校を知ろう

2年＿＿＿組＿＿＿番　氏名＿＿＿＿＿＿＿＿＿＿＿＿＿＿＿

＿＿＿＿＿＿＿＿＿＿＿＿＿学校　について

中学2年
⑤

わたしたちの生活と職業

■活動のテーマ／身近な職業を調べ，職場体験につなげよう・職場体験をよりよいものにするために，目標を考えよう

1 題材設定の理由

■指導観

　教師側は，「職場体験学習＝キャリア教育」ではなく，職場体験学習はキャリア教育のひとつの柱ではあるものの，その事前・事後学習，他教科との往還，学校行事とのつながり等が総合的に生徒のキャリア発達へつながっていることは理解している。しかしながら，生徒は日常との変化や体験というイレギュラーな環境に目を奪われ，「楽しかった」「おもしろかった」という単純な思いに陥りやすい。本題材では，いま一度職場体験学習の意味や目指すものについてふり返り，そのガイダンスを通して職場体験学習そのものの底上げを図り，生徒の将来はもとより，学校生活の充実に機能するよう取り組んでいきたい。

■題材観

　自分の進路実現に向け，情報を収集し理解することは，将来の進路設計に向けて非常に重要な過程であり，職業への理解や働くことの意義を考えることは，キャリアプランニング能力を高めるうえでとても重要である。

　ここでは，職業の多様性や働くことの意義への意識を高め，実際の職場体験学習を通じてより具体的にこの意識を生徒たちに考えさせたい。AI や IoT の急速的な発達により，職業のみならず生活環境の変化が激しい現代社会を生きる生徒たちが，将来のよりよい自己実現に向けた望ましい勤労観や職業観を持ち，キャリアプランニング能力を育成することをねらいとしてこの題材を設定した。

2 本時の活動テーマ（本題材は２つの活動テーマにより，２時間扱いで展開する）

> 身近な職業を調べ，職場体験につなげよう

> 職場体験をよりよいものにするために，目標を考えよう

3 目指す生徒の姿

■キャリア教育の視点で
・多様な職業の内容や特色，適性を考え，職業に対する意識を深められる生徒
・多様な職業に関する情報を理解し，職業や働くことへの関心を高められる生徒
■特別活動の視点で
・自己実現に向けての具体的活動のひとつとして将来を考えることができる生徒

4 本時の評価規準

職業を理解するうえで必要な **知識・技能**	職場体験学習の 意義や目標についての **思考・判断・表現**	職場体験学習を， 主体的にイメージしようとする **態度（主体性）**
●話し合いに積極的に参加し，職業の内容や適性についての理解を深めている。	●職場体験学習の自分としてのねらいについて確認することができる。	●職業に対する情報を理解し，職業や働くことへの関心を高めている。
キャリア教育の評価の視点／評価規準から確認できる基礎的・汎用的能力		
□自己理解・自己管理能力 □課題対応能力	□自己理解・自己管理能力 □キャリアプランニング能力	□キャリアプランニング能力 □人間関係形成・社会形成能力

5 展開

（1）事前の活動と指導（２時間扱い）

活動内容（活動の場面等）	指導上の留意点
●身の回りの職業や，関心のある職業を考える。（家庭学習）（ワークシート Q1）	●多様な職業の存在を意識させる。 ●日常生活と職業のつながり等についても考えさせる。

（2） 本時の展開（２時間扱いの展開例）

	生徒の活動（学習内容と活動）	指導上の配慮事項（○）と評価（※）
導入	**わたしたちの生活と職業 (1/2)** 1 身の回りや社会にある職業やそれらについての考えを発表する。（ワークシート Q1） 2 『中学生活と進路』P30・31 を読み，社会の変化に応じた職業の変化について知る。 ● 本時の活動テーマを理解する。	○ さまざまな職業があることを実感させる。 ○ 社会変化に応じて職業も変化していることに気づかせる。
	活動テーマ ／身近な職業を調べ，職場体験につなげよう	
展開	3 『中学生活と進路』P32 を読み，身の回りの職業について適性を個人で考え，小集団によりまとめる。	○ 多様な職業をリストアップさせ，その適性について考えさせるように助言する。 ○ 『資格が必要…○○，□□』など，まとめ方の具体例を提示し，話し合いが積極的に進むように支援する。 ○ ひとつの職業に複数の適性の分類に含まれることがあることに留意させる。 ※ 職業の内容や適性について話し合い，理解を深めている。【理・管】【課】
まとめ	● 各小集団でまとめた内容を全体へ発表する。 4 本時の授業の感想や気づいたことをまとめる。（ワークシート Q2）	※ 職業に対する情報を理解し，職業や働くことへの関心を高めている。【キャ】
導入	**わたしたちの生活と職業 (2/2)** 1 職場体験学習で，自分が実際に働いてみたい職種について考え，意見交換する。 ● 本時の活動テーマを理解する。	○ 職場体験学習に対する意識をお互いに確認し，意欲を高めるきっかけを持たせる。 ○ どの職種で職場体験をしたいのか，互いに考えを交流させる。
	活動テーマ ／職場体験をよりよいものにするために，目標を考えよう	
展開	2 本時の内容を確認し，『中学生活と進路』P36・37 に取り組む。 3 「その職場体験での目標を，キャッチフレーズにしよう!!」（ワークシート Q4）	○ Q1 の話し合いを参考に，体験したい職種，内容等を Q3 につなげていく。 ○ 体験の職種や内容をイメージする。 ○ 自分の職場体験への思いが伝わるキャッチフレーズで。
まとめ	4 職場体験学習のねらいを再確認し，感想を発表する。	※ 職場体験学習へのイメージを明確にし，ねらいを持って取り組む姿勢を持つことができたか。【キャ】【課】

（3） 事後の活動と指導

活動内容（活動の場面等）	指導上の留意点
●学級通信にキャッチフレーズを載せ，職場体験学習への意欲を高める。	●学級通信を通じて，保護者の職場体験学習への理解を深める。

6 キャリア・パスポートへのつながり

■職場体験
■職場体験の目標

■職場体験ワーキングポートフォリオ（ノート）
■自分の将来を考える動機付けの向上

■職場体験の充実
■キャリア・パスポートへの直接的な反映

7 発展的な学習へのつながり

●職場体験学習は現実に働くことにより，職業観・勤労観を高め，働くことを考える大きなきっかけとなります。ここでの思いは，すべての学びの動機づけになることを意識しましょう。

■ワークシートのねらい

　キャリア教育の多様な活動のなかで，職場体験学習の効果は，働くことの意義，環境，思い等と多岐にわたります。まさしく生き方に関する総合的な学びとなります。将来へ一歩踏み出す学習でもあるので，生徒のモチベーションも高いです。また生徒たちは，前年先輩たちが体験したことを少なからず知っているので，活動に対する期待も高いはずです。生徒の将来への思いを大切にして主体的に活動を展開させましょう。

■ワークシート活用のポイント

○ 集団での共有化と個人の内面化のメリハリをつけて指導しましょう。
○ 話し合い中のつぶやきを拾ってあげると，より考えが深まるかもしれません。

■「主体的・対話的で深い学び」へのポイント

○ 自分なりに「職場体験の目標」を見つけ，それが「体験先」につながることの理解を丁寧に指導しましょう。
○ 「キャッチフレーズ」の作成により，職場体験学習の内面化とモチベーションの高揚を図ることができます。

■評価のポイント

○ 時間をかけて個人活動に取り組ませ，自分の職場体験学習へのねらいや思いを明確にしてあげましょう。
○ キャッチフレーズを共有し，お互いの思いを励ましてあげましょう。

■こんな時間と接続したら……

○ 職場体験学習の成否は本時の目標設定を含め，事前・事後指導にかかっています。体験以前にその基本となる思いやねらいを明確にしておきましょう。
○ 考え抜いた職業体験のキャッチフレーズを全生徒分掲示するだけでも，壮観で職場体験活動へのモチベーションが高まります。

職場体験をよりよいものにするために，目標を考えよう

2年＿＿＿組＿＿＿番　氏名＿＿＿＿＿＿＿＿＿＿＿＿＿＿＿＿

【グループで考えよう！】
1　あなたが知っている仕事や職業を思いつくままに書いてみよう。

【個人で考えよう！】
2　あなたが職場体験で学びたいことは？

3　あなたはどんな職場で学びたい？　その理由は？

4　その職場体験での目標を，キャッチフレーズにしよう‼

社会に生きる
■活動のテーマ／「社会に生きる」ことについて考えよう

1 題材設定の理由

■指導観

　生き方や進路に関する現実的探索をしていくなかで，日常の学校生活はもちろんのこと，社会という存在は，多様な人々により構成されていることが現実として理解できてくる。未来の社会をつくる中学生にとって，社会のルールやマナーは社会を営むうえで必要不可欠なものだということも必然的に気がついてくる。ここでは日常生活のなかで起こりうるケースに対して，どのような考えにより対応を図ればよいか話し合い，社会性の大切さを理解させる。

■題材観

　集団や社会の形成者としての見方・考え方を働かせながら，社会性や生き方について考えていくのが特別活動の大きな目標の柱となっている。キャリア形成の発達段階も進んできた中学2年生にとって，社会で生きることを意識することは，集団や自己の課題解決を図るうえでとても重要な意識や次の発達段階への意欲となる。本題材では，集団や社会の形成者として社会に生きる意識をはぐくみつつ，社会的自立に向けての資質を育成していく。

■指導の背景等

　社会で生きていくためには，ルールやモラルを考えることは必要不可欠である。社会生活は，中学校生活より厳しく，自分の責任にゆだねられることも多くある。また，このような社会状況の下，「社会に生きる」複雑さや多様性等は増大していく。そのなかで，自分の生活をふり返り，友人と価値観を交流していくことは，将来を協働により生きるためのひとつのスキルとなる。

2 本時の活動テーマ

> 「社会に生きる」ことについて考えよう

3 目指す生徒の姿

■キャリア教育の視点で

・社会や集団生活における行動等を考えることにより，モラルやマナーについて考えられる生徒
・社会的な価値を捉え，自分の生き方や態度に活かすことができる生徒

■特別活動の視点で

・社会や社会の一員としてよりよい生活や人間関係を築こうとする生徒

4 本時の評価規準

社会を生き抜くために必要な **知識・技能**	自分が社会を生きる姿をイメージする **思考・判断・表現**	社会の一員として 主体的に生きるために必要な **態度（主体性）**
●社会や集団生活におけるモラルやマナー等について理解することができる。	●社会性等を理解し，自分の生き方と結びつけて考えることができる。	●社会の一員として，意欲的に生きる意識を高めることができる。
キャリア教育の評価の視点／評価規準から確認できる基礎的・汎用的能力		
□人間関係形成・社会形成能力	□キャリアプランニング能力 □課題解決能力	□自己理解・自己管理能力

5 展開

（1） 事前の活動と指導

活動内容（活動の場面等）	指導上の留意点
●中学校生活に関するアンケートの実施。(短学活等)（ワークシート①）	●中学校生活のルールやモラルに関する内容とする。

（2）　本時の展開

	生徒の活動（学習内容と活動）	指導上の配慮事項（○）と評価（※）
導入	● 電車でのマナー広告をみて感想を述べる。 ● 本時の活動テーマを理解する。 **活動テーマ ／ 「社会に生きる」ことについて考えよう**	○ 素直に感じたことを発表させる。
展開	1　事前に行った中学校生活に関するアンケートの結果を見る。 2　小集団に分かれてテーマ別の意見交換をする。（ワークシート①） Q1 アルバイトについて Q2 お化粧について Q3 携帯・スマホの持ち込みについて Q4 ピアスについて Q5 髪型について Q6 家族が反対なのにペットを飼うことについて 3　ワークシート②のQ2，Q3に取り組む。 ・Q2「成年年齢が20歳から18歳になります。」 Q1 成年年齢は何歳が適当だと思いますか。 Q2 成年として必要なものは何ですか。 Q3 成年になってやりたいことは何ですか。 ・Q3「このようなときあなたは？」 Q1　電車内での携帯電話の使用 Q2　選挙で投票しないこと Q3　お年寄りに席をゆずること	○ 賛成・反対の数字だけにする。 ○ 単純に感想を述べる。 ※ 社会の一員として，意欲的に生きる意識を高めることができたか。【理・管】 ○ 他者の意見をよく聞き，さまざまな意見があることを知る。 ○ 将来の自分をイメージし，記入させる。 ○ 自分の行動には責任が伴うことに気づかせる。 ※ 社会生活をスムーズにするためのモラル等を考えることができたか。【キャ】【課】【人・社】
まとめ	● 小集団で発表し個々の意見を共有する。	※ 社会や集団生活におけるモラルやマナー等について理解することができたか。【理・管】【人・社】

（3）　事後の活動と指導

活動内容（活動の場面等）	指導上の留意点
●社会人としての生き方に関する考えや意見などを学級通信等に掲載する。	●今後の指導の参考とする。

6　キャリア・パスポートへのつながり

●社会性を考えることにより，日常生活の活性化や社会を構成する人としてのイメージを考え，キャリア・パスポートの価値観における基盤とする。

「社会に生きる」ことについて考えよう

■ワークシートのねらい

　感染拡大防止に象徴されるような予測困難な社会において，人が人を支え合う協働社会は，その基盤となるでしょう。そのような将来において，生徒自身が社会に対しどのような価値を持つかは，今後の生き方に大きく影響を与えることでしょう。このワークシートでは
　　○社会の一員としての自分の考え，自分の意見をしっかり発表するとともに，友人の話を理解する。
　　○社会のモラル・ルールを考え，今後の自分の生き方に活かすようにする。
の２点について考え，社会に生きることの重要性に気づかせたいところです。

■ワークシート活用のポイント

　○ 質問の正否を問うものではないので，自分の考えをしっかり記入させましょう。
　○ 人権教育やシティズンシップ教育にも十分活用できます。

こんなとき
どうする？

■「主体的・対話的で深い学び」へのポイント

　○ グループワークでは，一人一人がきちんと意見が言えるように進めましょう。また，友人の話に耳を傾け，考えを共有するように指導しましょう。
　○ 感想記入の隣に友人からのメッセージの欄を設け，ポートフォリオとして活かしましょう。

■評価のポイント

　○ 社会に生きることについて，根拠を明確にし，自分の考えを発表させましょう。
　○ 友人との価値観交流がポイント。話し合いを活性化する仕掛けを。
　○ さまざまな価値観が社会に生きるというテーマのもと，ポジティブな方向性になるように評価しましょう。

■こんな時間と接続したら……

　○ 本時の内容は，ヒューマンライツ（人権学習）やシティズンシップ教育（市民性教育）にも十分な機能を果たします。道徳も含めさまざまなステージで活用してください。

中学校生活に関するアンケート

2年　　組　　番　氏名

● 中学校生活で、次のようなことをどう考えるだろうか？

Q1　中学生がアルバイトをすることは？

賛成 反対	理由

Q2　中学生がお化粧をすることは？

賛成 反対	理由

Q3　携帯電話・スマートフォンの学校への持ち込みは？

賛成 反対	理由

Q4　中学生がピアスをすることは？

賛成 反対	理由

Q5　決まりのない中学生の髪型は？

賛成 反対	理由

Q6　家族が反対なのにペットを飼うことは？

賛成 反対	理由

社会に生きることについて考えよう

2年　　組　　番　氏名

1　「中学生活に関するアンケート」から、グループに分かれて、意見交換をしよう。

話し合いのテーマ		
自分の考え	賛成・反対	意見
グループの考え	賛成・反対	意見

2　成年年齢が20歳から18歳に引き下げられることについて。

1　成年年齢は何歳が適当だと思うか　　歳

2　成年ならば当然身につけているべきことは何だと思うか

3　成年になってやりたいことは何か

3　あなたはどのように考える？

1　電車内での携帯電話の使用について

2　選挙なのに投票に行かないことについて

3　公共の場で高齢者に座席をゆずることについて

4　感想を書こう。

5　グループの友人からひと言。

中学2年

⑦ 共生社会形成のために
■活動のテーマ／インクルーシブ教育について考え，実践しよう

1 題材設定の理由

■指導観
　中学2年生は，中学校生活にも慣れ学習や学校行事，部活動など学校の中心となって活躍する学年である。しかし慣れや惰性から「中だるみの学年」と呼ばれることも少なくない。今後，より多様性が進む社会を共生していくために中学1年生は「自分のこと」，中学2年生は「自分の回りのこと」，中学3年生は「社会や外部のこと」に目を向けて欲しいと考えている。本題材は自分たちと違う人間を排除するのではなく，ダイバーシティ（多様性）について気づかせ，その人たちがよりよく生きていくために（協働するために）何が必要か，考えさせるものである。

■題材観
　新学習指導要領では，よりよい学校教育を通じてよりよい社会を創るという「社会に開かれた教育課程」の実現を目指している。そのために「カリキュラム・マネジメント」の実現を目指すことなどが求められている。「カリキュラム・マネジメント」の6つの枠組みの改善の中のひとつに④「子供一人一人の発達をどのように支援するか」（子供の発達を踏まえた指導）がある。これは，どの子供たちもお互いのよさを認め合い，学び合うことの重要性を表していて，一人一人の発達の違いを個性として認知し，「協働」していくことの大切さを表している。

■指導の背景等
　共生社会の実現に向け，インクルーシブ教育を担う役割は大変重要である。学校の教育活動としても，個人的な考えや価値観からもさまざまなアプローチが期待でき，その方法も多様である。

2 本時の活動テーマ

> インクルーシブ教育について考え，実践しよう

3 目指す生徒の姿

■キャリア教育の視点で
・多様性の社会を生きるためのインクルーシブ教育について理解できる生徒
・自分の身近なインクルーシブ社会のために，自分のできることを考える生徒

■特別活動の視点で
・多様性を理解し，集団や社会の一員としての役割を考え，果たすことができる生徒

4 本時の評価規準

インクルーシブ教育について考えるための **知識・技能**	インクルーシブ教育について考え実践していくための **思考・判断・表現**	インクルーシブ教育について，主体的に実践しようとする **態度（主体性）**
●「多様性」や「インクルーシブ」について理解を深めることができたか。	●自分の身近にできる「インクルーシブ」の取組について理解できたか。	●「インクルーシブ教育」の重要性について理解することができたか。
キャリア教育の評価の視点／評価規準から確認できる基礎的・汎用的能力		
□課題対応能力 □自己理解・自己管理能力	□キャリアプランニング能力	□人間関係形成・社会形成能力

5 展開
（1） 事前の活動と指導

活動内容（活動の場面等）	指導上の留意点
●インクルーシブ教育の意味を理解する。 ●自分たちのまわりにあるインクルーシブ教育を考えさせる。（短学活）	●身近なインクルーシブ教育を例に挙げ，イメージさせる。 ●「インクルーシブ」の言葉を理解する。

（2） 本時の展開

	生徒の活動（学習内容と活動）	指導上の配慮事項（○）と評価（※）
導入	● 車いすに乗っている少年のイラストを掲示する。 　・このイラストの少年はどんなことが大変か考えさせる。 ● 事前に考えたインクルーシブ教育について発表する。 ● 本時の活動テーマを理解する。	○ 事前に考えさせたインクルーシブ教育とつなげていく。
	活動テーマ ／インクルーシブ教育について考え，実践しよう	
展開	1 車いすの少年が，みんなと同じ教室で学ぶのに必要な手助けを考える。 2 小集団に分かれて，小集団での意見をまとめ発表する。 3 ダイバーシティ（多様性）について調べ発表する。 4 インクルーシブ教育を推進するために自分たちにできることを考え，発表する。	○ 教室や，学校の状況，授業の活動などをイメージさせる。 ○ 発表ボードを活用する。 ○ 解決策も考えさせる。 ※ 「インクルーシブ教育」の重要性について理解することができたか。【課】【キャ】【人・社】 ○ ICTや図書等，調べ学習の環境を整える。 ※ 自分の身近にできる「インクルーシブ」の取組について理解できたか。【課】【理・管】
まとめ	● 本時の感想を発表する。	※ 「多様性」や「インクルーシブ」について理解を深めることができたか。【課】【キャ】【理】【人・社】

（3） 事後の活動と指導

活動内容（活動の場面等）	指導上の留意点
●インクルーシブ教育に関する考えや意見などを学級通信等に掲載する。	●福祉教育や特別支援教育との交流等につなげていく。

6 キャリア・パスポートへのつながり

●今後の多様性がある社会において，自分がどのように生きていくかを考える過程をキャリア・パスポートの基盤に反映させる。

7 発展的な学習へのつながり

●各学校で取り組まれている福祉教育，ボランティア教育等へ活用する。
●特別支援教育における交流教育の事前・事後指導として活用する。

共生社会形成のために

インクルーシブ教育について考え，実践しよう

■ワークシートのねらい

　人種，LGBTQ，少子高齢化，特別支援，出身……今後の社会における多様性を含む課題は，生徒の将来に直接的にかかわってきます。子供たちの未来社会は，共生やインクルーシブを意識しなくても，自然に成り立っている社会でなくてはいけません。そのためにいま，子供たちは多様性や共生について考えなくてはいけません。

　本ワークシートで，みんながよりよく生きる社会に向けて，実際の場面をイメージしながら，自分の意見をしっかり発表するとともに，友人と話し合わせてください。また，インクルーシブに向けて，自分にできることを考えさせてください。近い未来がより明るいものになるための基盤になると思います。

■ワークシート活用のポイント

○ ワークシートは簡単に捉えて話し合いを中心に活用させましょう。
○ ICT や図書等の資料も同時に活用し広い範囲の情報を収集しましょう。
○ 自分の考えをしっかりまとめられるよう社会的課題に目を向けさせましょう。

■「主体的・対話的で深い学び」へのポイント

○ グループワークでは，一人一人がきちんと意見が言えるように配慮しましょう。また，友人の話に耳を傾け，考えを理解するように肯定的に考えさせましょう。
○ 感想記入の隣に友人からのメッセージの欄を設け，励みになるようなコメントを記入させましょう。
○ 身近な話題や社会的に注目されている話題を拾えるように工夫しましょう。

■評価のポイント

○ 自分の言葉で，自分の考えを表現させましょう。
○ 自分のできることをイメージして考えさせましょう。
○ 小集団での相互評価が生徒の励みになります。
○ 共生社会について理解し，社会定的な課題に少しでも目が向けられるようにしましょう。

インクルーシブ教育とは？

■こんな時間と接続したら……

○ 共生や人権と接続する活動は，すべての学校教育であるといえます。道徳や人権教育はもちろんのこと，教科学習も含め，学校教育全体に接続させていきましょう。

インクルーシブ教育について考え，実践しよう

2年＿＿＿組＿＿＿番　氏名＿＿＿＿＿＿＿＿＿＿＿＿＿＿＿＿

1　車いすの少年はどんなことが大変か考えよう。

2　車いすの少年がみんなと同じ教室で学ぶのに必要な手助けを考えましょう。

どのような不都合があるか

解決策

3　「多様性」「ダイバーシティ」とは？　自分たちで調べてみよう。

4　インクルーシブ教育を進めていくうえで，自分たちにできることは何だろう。

● 感想を書こう。

● グループの友人からひと言。

中学2年
⑧ 中3の自分を考えてみよう
■活動のテーマ／中3の自分をイメージしよう

1　題材設定の理由

■指導観

　いよいよ中学3年生という進路選択の学年を迎える生徒たち。一人一人が具体的な進路を選択し，その実現へと努力していくために，3年生になる前に，2年生としての1年間をふり返るとともに，将来の夢や目標，自分の適性などをいま一度ふり返り，3年生の自分のために明確にする必要がある。

　また，進路に関する情報は豊富であるが，自分の進路選択と直接結びつかない生徒も多い。一方，中学卒業後の進路のみに気を取られ，「将来の自分」を思い描くことを忘れがちな傾向もある。自分に正直な進路選択に向け，いま，中学3年生に向けての準備をしたい。

■題材観

　生徒一人一人のキャリア形成と自己実現を促していくためには，目標を持って，生き方や進路に関する適切な情報を収集，整理し，自分の個性や興味・関心と照らし合わせて考えることのできる能力をはぐくむことが重要である。特に将来を見据えながらの主体的な進路選択能力とキャリアプランニング能力の育成は，生きるうえで指針を示す能力となる。本題材は，中学3年生へ進級を控え，1年後には受験期を迎える生徒たちに，中学3年生という姿を想像させ，義務教育最後の年のモチベーションと進路選択への意識を高めたい。

2　本時の活動テーマ

> 中3の自分をイメージしよう

3　目指す生徒の姿

■キャリア教育の視点で

・いまの自分をふり返り，中学3年生の心構えや準備につなげることができる生徒
・中学3年生の生活を考え，1年後の自分を想像することができる生徒

■特別活動の視点で

・中学3年生について自分なりの見方，考え方により具体的な活動が意識できる生徒

4　本時の評価規準

中2をふり返り，中3について考える **知識・技能**	中3の努力点を考えるための **思考・判断・表現**	中3の自分を 主体的にイメージしようとする **態度（主体性）**
●中学2年生の自分について簡潔にふり返ることができる。 ●中学3年生について考えることができる。	●いまの自分のふり返りから，中学3年生での努力点を考えることができる。	●次年度に向けての意欲・関心を高めることができたか。
キャリア教育の評価の視点／評価規準から確認できる基礎的・汎用的能力		
□人間関係形成・社会形成能力	□キャリアプランニング能力 □課題対応能力	□自己理解・自己管理能力

5 展開

（1） 事前の活動と指導

活動内容（活動の場面等）	指導上の留意点
●先輩たちから中学3年生の生活調べとアドバイスを学ぶ。	●2月当初を目安に，3年生の先輩に後輩へのアドバイスのワークシートの記入を依頼する。内容については，P94参照。 ●私立等で進路先が決定している3年生を抽出して，協力してもらう。 ●3年生になるにあたって不安なことを考えておく。

（2） 本時の展開

	生徒の活動（学習内容と活動）	指導上の配慮事項（○）と評価（※）
導入	● 中2の自分をふり返るとともに中3になるにあたって，不安なことを聞いてみる。（ワークシートQ1） ● 本時の活動テーマを理解する。	○ 3年生に協力してもらい，アドバイスをもらったことを伝える。 ○ 話せる悩みでよいと助言する。 ○ 3年生のアドバイスシートをふり返る。
	活動テーマ／中3の自分をイメージしよう	
展開	1 ワークシートQ2「中3の自分を想像しよう」を記入する。 2 小集団に分かれて，3年生からのアドバイスを回し読みし，意見を交換する。 3 代表の小集団が感想を発表する。 4 ワークシートQ3の「1年後に向けて頑張りたいこと」を記入する。	○ なるべく具体的な内容を記入させる。 ○ 感じたことを発表できるように助言する。 ○ みんなの意見をまとめたものを発表する。 ※ いまの自分のふり返りから，中学3年生での努力点を考えることができたか。【理・管】【人・社】【キャ】
まとめ	● 本時の感想を発表する。	※ 次年度に向けての意識を高めることができたか。【人・社】【課】

（3） 事後の活動と指導

活動内容（活動の場面等）	指導上の留意点
●1年後に向けて頑張りたいことなどを学級通信等に掲載する。	●中学3年生の目標設定に活用する。

6 キャリア・パスポートへのつながり

■中2のふり返り ■中3のイメージづくり ■中3の努力点	■中2の1年のふり返りの過程 ■中3の1年をイメージしての見通しづくり	■中2のキャリア・パスポートへの直接的な反映 ■中3の目標設定の資料として活用

中3の自分をイメージしよう

■ワークシートのねらい

　いよいよ中学3年生です。義務教育最後の1年であるとともに，多くの生徒が進路選択というハードルにはじめて挑戦します。中学校生活を充実させたとしても「受験」という言葉が生徒の脳裏から離れない1年でもあります。そんな中3を迎える前に先輩からアドバイスをもらい，友人とともに中3をイメージし心構えを持つことは，この1年を支える大きなモチベーションになります。自分の考えたこと，目指すものに対し自主的かつ実践的に進むことができるよう，いま，少し先のことを考えさせましょう。

■ワークシート活用ポイント

○ 質問のヒントに対しひとつひとつていねいに考えさせましょう。
○ 中3の目標設定を意識させましょう。
○ 必ず小集団内での相互評価により共有させてください。

■「主体的・対話的で深い学び」へのポイント

○ グループワークでは，一人一人がきちんと意見が言えるように働きかけましょう。
○ 友人の話に耳を傾け，考えや悩み，不安を共有させましょう。そのことにより，少し安心感が広がります。

■ワークシート

「後輩へのアドバイス」の内容等

学年・学級の実情においてアドバイスの内容を工夫してください。
○ 学習について（授業，テスト，家庭学習等）
○ 学校生活について（係，委員会）
○ 行事等へのアドバイス（体育祭，合唱祭，修学旅行等）
○ 長期休業の過ごし方へのアドバイス
○ 進路選択へのアドバイス
○ その他（部活動，人間関係等）

卒業？　高校？　進路？　受験？

■評価のポイント

○ 自分の考えを自分の言葉で表現させることにより，この1年を自分のこととしてふり返ることができます。
○ 自分の言葉で表すことにより，友人との共有もスムーズに進みます。
○ 大切なのは，中3の自分をイメージすることと，友人と考えを共有し，中3への希望を広げることです。

■こんな時間と接続したら……

○ このワークシートは，中学2年生と中学3年生はじめの，キャリア・パスポート作成のワーキングポートフォリオとなります。その都度ページをめくりふり返りをさせましょう。

中3の自分をイメージしよう

2年＿＿＿組＿＿＿番　氏名＿＿＿＿＿＿＿＿＿＿＿＿＿＿＿＿

1　中2の自分をふり返ってみよう。

2　中3の自分を想像してみよう。

進路は？	学習は？	特技は？
学級は？	興味・関心は？	性格行動は？
家族は？	友人は？	その他

3　1年後に向けて，あなたは何を頑張りますか？

学習	部活動	行事
行動・性格	特技・適性	健康
興味・関心	中学卒業後の進路	その他

4　感想を書きましょう。

5　グループの友人から。

最上級生へのステップ！
■活動のテーマ／中2のふり返りから，中3の目標，将来の進路を考えよう

1　題材設定の理由

■指導観

　来年度には義務教育最後の１年を迎え，多くの生徒が主体的な進路選択に臨んでいくという人生はじめての岐路に立つことになる。そのための意識の高揚や進路選択の具体性を高めていくためにも，この中学２年生という１年間をふり返り自分の成長に気づかせたい。その過程を自己肯定感につなげ，中学３年生の個性・能力・適性等に応じた進路選択に結びつけていく。そのための，中学２年生という発達段階における特性を捉えたキャリア・パスポートの作成であり，この作成過程を最上級生として義務教育を締めくくるための目標づくりに機能するものとしたい。

■題材観

　中学２年生として活動した１年間をふり返り，自分自身の成長を自己評価するキャリア・パスポートは，将来の生き方を考え，自己実現を目指していくキャリア形成を促すうえで欠かせないものである。小学校時代からのキャリア・パスポート作成の過程をふり返り成長を確認しつつ，最上級生として過ごす次年度の見通しを持たせたい。

2　本時の活動テーマ

> 中２のふり返りから，中３の目標，将来の進路を考えよう

3　目指す生徒の姿

■キャリア教育の視点で

・中学２年生をふり返り，達成感があったことについてまとめあげることができる生徒

・中学３年の見通し，明確な目標や努力点を持つことができる生徒

■特別活動の視点で

・中学校生活でのさまざまな活動と総合的に往還することができる生徒

4　本時の評価規準

中学２年生をふり返り，義務教育最終学年をイメージする **知識・技能**	いまや将来についての自分の目標等を考える **思考・判断・表現**	ふり返りと中学３年生のイメージについて考え抜く主体的な **態度（主体性）**
●中学２年生で生活についてのふり返りができている。 ●義務教育最後の１年間についての様子がイメージできている。	●この１年間での達成感があったことについてふり返り，表現できている。 ●自分の進路や，中学３年生について考えを深め，表現できている。	●中学３年生の見通しを持ち，次年度への意欲と進路選択に向けての意識を高めることができる。

キャリア教育の評価の視点／評価規準から確認できる基礎的・汎用的能力		
□自己理解・自己管理能力	□人間関係形成・社会形成能力 □課題対応能力 □キャリアプランニング能力	□キャリアプランニング能力

5　展開

（1）　事前の活動と指導

活動内容（活動の場面等）	指導上の留意点
●学期末のふり返りの記入。 ●今年度の行事や学校生活の記録の確認。（短学活，家庭学習等）	●ワーキングポートフォリオの準備・整理。 ●成功体験等を中心に想起させる。 ●生徒の行動の記録を肯定的に捉え，自己有用感を高めさせる。

（2）　本時の展開

	生徒の活動（学習内容と活動）	指導上の配慮事項（○）と評価（※）
導入	● 　3学期や今年度のふり返りの内容について共有する。 ● 本時の活動テーマを理解する。	○ 前時ワークシート「中3の自分をイメージしよう」（P95）を活用する。 ○ 事前指導でのふり返りを小集団で，肯定的に共有し合う。 ○ 小学校及び中1のキャリア・パスポートのふり返りを活用する。
	活動テーマ ／ 中2のふり返りから，中3の目標，将来の進路を考えよう	
展開	1　この1年間を漢字1文字で表現する。 2　この1年間で一番達成感があったことについてふり返る。 3　将来の進路やその可能性について考える。 4　中学3年生で努力したいことを具体的にまとめる。	○ 導入の小集団での共有した話題を参考にする。 ○ 理由を考えさせて，1年間を象徴するものとする。 ○ 小集団の共有により，ふり返りを深める。 ○ 1年間を肯定的に象徴するエピソードについて想起させる。 ○ ワーキングポートフォリオを参考とする。 ※ 中学校2年生をふり返ることができる。【理・管】 ○ 自分の将来について，職業等にはこだわらず抽象的なイメージでもかまわないので考える。 ○ 小集団で共有し相互評価（励まし合い）を図る。
まとめ	● 進路と実現のための中3の努力点について発表する。 4　中3の担任にメッセージを考える。	※ 進路のイメージを掴み，中3での努力点を考えることができたか。【人・社】【課】【キャ】 ○ 「自分のここを見てほしい？」「どんなことを伝えたい？」

（3）　事後の活動と指導

活動内容（活動の場面等）	指導上の留意点
●中学3年生に向けてやるべきこと，目標を確認する。	●教師，保護者からのコメントを記入後，3年次の新担任に生徒個人から提出させる。（できれば年度当初の面談等で）

6　キャリア・パスポートのさらなる充実

■文部科学省や各自治体等で示しているキャリア・パスポートのサンプルを使用する場合
　●本ワークシートの「2年生のふり返り」や「3年生の努力点」等は，キャリア・パスポート作成の資料とする。
　●本ワークシートをワーキングポートフォリオとして活用する。

■学校の状況を考慮し，既成のものをカスタマイズしたり，オリジナルのものを使用する場合
　●キャリア・パスポートはキャリア教育を活性化させるものという視点が重要である。
　●2年生で必要と思われる状況を網羅した総括ポートフォリオとして活用する。

中2のふり返りから，中3の目標，将来の進路を考えよう

■キャリア・パスポート（ワークシート）のねらい

　いよいよ中学3年生，義務教育も最後の1年となり，自分が主体的に進路を選ぶという人生はじめての岐路が目前に迫ってきています。いままでの進級とは少し意味の違う年度末に，生徒の内心も少しは揺れ動いているはずです。そのような生徒の心の内を考えてみると，中2から中3のキャリア・パスポートの意味合いは，中学3年生を見据えながらも，その先の進路を意識するものになるのかもしれません。

　まずは，中学2年生という学校生活の中心として生活したこの1年をふり返ってみましょう。そこからは，義務教育最後の1年となる中3という1年をどのように生活すればいいのか，どう将来を見据えればよいのか見えてくるはずです。そのうえで広い可能性と長い人生を見据えて進路について考えていきましょう。進路選択に挑むモチベーションが高まってきます。

中1から

入学おめでとう

中3へ……

中2を経て

■キャリア・パスポート活用のポイント

○「今年の漢字」は年末の話題になります。イメージのふり返りだけでなく，目標設定にもよく使われます。楽しみながら1年を思い出させる材料としてあげてください。

○ 設問順に考えていくことで，ふり返りから目標へのつながりができ，順序立てて考えられます。

○ 2年生です。進学を意識した具体的な進路となったり，まだ夢のような抽象的な進路となるかもしれません。どちらでも肯定的に捉えてあげてください。

■「主体的・対話的で深い学び」へのポイント

○ 本誌のキャリア・パスポートは，各学年で比較や成長が確認できる項目立てがしてあります。中1のキャリア・パスポートとの比較は対話的な学びをより活性化させます。

○ 教師がどのようにかかわれるかが，キャリア・パスポートを機能させるためのポイントです。パスポート内のコメントはもちろん，自己開示も含め，主体的にかかわってください。

■評価のポイント

○ ふり返りから，次の目標設定につなげられたかがこのポートフォリオの大きな目的です。

○ 将来や進路は，友人の考えがとても気になるところです。小集団での相互評価は生徒一人一人のキャリア形成に影響を与えます。肯定的な思考を前提に積極的に話し合わせてください。

■こんな時間と接続したら……

○ やはり中学3年生での生活に機能してのキャリア・パスポートです。次年度のスタートにどう活かされるかは意識して作成しましょう。3年生の担任の先生への思いを書き綴り，3年生でのガイダンスに活かしてください。

○ キャリア・パスポートのさらなる機能を果たすため，中3での作成資料として活用してください。

中2のふり返りから，中3の目標，将来の進路を考えよう

2年＿＿＿組＿＿＿番　氏名　　　　　　　　　　　　　　　　のこの1年！

1　この1年を漢字1字で表現してみよう。／その理由も記入してみよう。

2　この1年間をふり返って，自分なりに一番達成感があったことと、その理由を記入してみよう。

一番達成感があったこと……

その理由……

3　あなたの将来の「進路」について、記入してみよう。／その理由も記入してみよう。

私は将来，　　　　　　　　　　　　　　という進路を考えています。

その理由……

4　この進路を実現するために，あなたが中学3年生で努力したいことは具体的にどんなことですか。

● 3年生の担任へひと言。

● 担任からひと言。

● 保護者からひと言。

さあ，中学校生活最後の1年
■活動のテーマ／中学3年生としての自覚を持とう

1 題材設定の理由

■指導観

　義務教育の最後，そして進路選択といよいよ中学校生活最後の1年を迎える生徒たち。これまでの学校生活をふり返りつつ，中学3年生という1年に見通しを持ち，中学校生活のまとめと将来へのモチベーションの向上を図ることが，この1年を充実させるポイントとなる。また自分の個性や適性興味・関心を生かした進路を選択するためにも，具体的な目標と心構えを年度当初の段階から考えさせたい。

■題材観

　義務教育最後の1年。生徒たちは中学校生活のまとめ，進路選択の最終決定等を感じつつ期待と不安を胸に進級している。この毎日の積み重ねが自分の将来に大きくかかわってくることを理解し，この1年に見通しを持って生活できるようこの題材を設定した。

2 本時の活動テーマ

> 中学3年生としての自覚を持とう

3 目指す生徒の姿

■キャリア教育の視点で

・これまでの中学校生活をふり返り，中学3年生の生活に見通しを立てることができる生徒

■特別活動の視点で

・中学校3年生の見通しから，自分なりの目標や心構えを固めることができる生徒

4 本時の評価規準

中学校生活を見通すために必要な **知識・技能**	自分の近い将来をイメージする **思考・判断・表現**	中学校生活最後の1年間について， 主体的にイメージしようとする **態度（主体性）**
●中学3年生の生活について，将来設計を意識しながら見通しを立てることができる。	●中学校生活をふり返るとともに，中学3年生の生活のポイントを理解し，この1年の計画立案を進めることができる。	●中学校3年生という生活への，自己の動機づけを高めることができる。
キャリア教育の評価の視点／評価規準から確認できる基礎的・汎用的能力		
□自己理解・自己管理能力	□人間関係形成・社会形成能力	□課題対応能力 □キャリアプランニング能力

5 展開

（1） 事前の活動と指導

活動内容（活動の場面等）	指導上の留意点
●いままでのワーキングポートフォリオ（ワーク等）やキャリア・パスポートをふり返り，今年頑張りたいことについて考えさせておく。（短学活等）	●1・2年生でまとめたキャリア・パスポート等をもとに，いままでの学校生活をふり返る。 ●学級開きの自己紹介等にも活かす。

（2） 本時の展開

	生徒の活動（学習内容と活動）	指導上の配慮事項（○）と評価（※）
導入	1 キャリア・パスポート等をもとに自己の2年間をふり返る。 2 3学年についてイメージする。 ● 本時の活動テーマを理解する。	○ 事前の活動を活用する。 ○ 2年間をふり返りながら，最後の1年を意識させる。 ○ 資料等により年間行事予定を確認し，具体的に考えさせる。

活動テーマ ／ 中学3年生としての自覚を持とう

	生徒の活動	指導上の配慮事項
展開	3 中学3年生の1年について小集団で話し合う。 4 この1年間で自分が一番重視したい努力点を考える。 5 小集団で相互の中学3年生への思いを共有する。	○ 友人が中3の1年についてどう考えているのか共有する。 ○ 自分の頑張りたい内容等を意識させる。 ○ 自分の興味・関心，必要性などを参考にして，現在の自分の考えを素直に表現できるように援助する。 ※ 自分の考えをまとめて，具体的な目標や1年間の心構えを決定しているか。【課】【理・管】【キャ】 ○ 小集団でワークシート等を見せ合い，お互いにアドバイスをする。 ○ 多様な意見を肯定的に受け止めるように助言する。
まとめ	● 各小集団の代表者の感想を聞き，この1年間の決意をまとめる。	○ 前向きな努力点について多様な価値観で発表する。 ○ 学級目標等へつなげるよう意識化を図る。 ※ 最上級生としての意義や目的をつかみ自主的・自立的に学校生活を送ろうとしているか。【理・管】【人・社】

（3） 事後の活動と指導

活動内容（活動の場面等）	指導上の留意点
●まとめた内容を教室掲示や学級通信等で配信する。 ●中学校最後の1年に向けて，家庭より励ましをもらう。（家庭学習）	●掲示物や学級通信を通して学級の意見にふれ自分の考えを深めることができるようにする。

6 キャリア・パスポートへのつながり

■1・2年のキャリア・パスポート
■中3としての1年間の目標

■1・2年のキャリア・パスポートを3年につなげる過程での活用の仕方
■中3の目標を設定する過程

■中3年度当初のキャリア・パスポートへ
■中学3年生のキャリア・パスポートへの反映

7 発展的な学習へのつながり
●年度当初の活動なので，学級開きに関するさまざまな活動と接続させ総合的に活用させたい。

中学３年生としての自覚を持とう

■ワークシートのねらい

中学校生活最後の１年を迎えるにあたり，いままでの中学校生活をふり返りながら次への一歩を踏み出す新たな目標を設定することは，中３という１年を充実させるためにとても重要な過程になります。ふり返りの資料にはいままで蓄積されたワーキングポートフォリオやキャリア・パスポート等がたくさんあります。これらを活用して，１・２年生の中学校生活をより深く考えさせましょう。そして，そのふり返りを糸口に中学３年生の努力点について自分の考えをまとめたり，友人と共有することにより，悔いのない１年となるよう中学校生活最後の目標を立てさせましょう。

■ワークシート活用のポイント

○ 記入のポイントは「この１年間で自分が一番努力したいことは？」です。じっくりと時間をかけて考えさせてください。

どんな中３にしよう？

■「主体的・対話的で深い学び」へのポイント

○ これまでのワーキングポートフォリオやキャリア・パスポートを活用して，自分をふり返りつつ自己理解を深化させるところからはじめましょう。
○ これから始まる中学校生活最後の１年。主体的でポジティブな側面を捉えられるようにしてください。
○ 友人との共有はとても大切。友人の努力点を理解し，互いに励まし合いましょう。
○ １年のはじめです。子供たちの前向きな気持ちに，ご家庭からも励ましをもらいましょう！

■評価のポイント

○ いままでのワーキングポートフォリオを活用する力は，課題対応能力に大きく反映されます。しっかりとポートフォリオを活用させてください。
○ この１年間で自分が一番努力したいこととその理由について，意欲的に考え友人と共有させてください。
○ 友人の考えを通して自分の考えを深め，今後の学校生活に向けて自分の目標や心構えを考えることができたかを評価しましょう。友人との共有から，自分の努力点をさらに深めていきましょう。

■こんな時間と接続したら……

○ １・２年のキャリア・パスポートのふり返りは，いままでの自分を見つめる大きなきっかけとなります。過去との接続は，キャリア形成への力にもなります。
○ いままでのワーキングポートフォリオを活用する大きなチャンスです。
○ 中３での目標は，そのまま中学校生活のまとめとしてのキャリア・パスポートにつながります。
○ 学級開きのさまざまな活動と接続させ，有効にワークシートを活用しましょう。

中学3年生としての自覚を持とう

3年＿＿＿組＿＿＿番　氏名＿＿＿＿＿＿＿＿＿＿＿＿＿

これまでの2年間の活動をふり返って

3年生の活動にはどんなことがある!?

この1年間で自分が一番努力したいことは？

理由

今後の学校生活に向けて

保護者からひと言

中学3年 ② **社会を支える一員として**
■活動のテーマ／わたしたちが社会の一員としてできることはなんだろう？

1　題材設定の理由

■指導観

　大きく変化する生徒の社会環境を視野に入れながら，シティズンシップ教育等と連携を図りつつ社会の一員としての自覚を促すものである。今後の人生において，社会に貢献することの意義と大切さについて考えさせるとともに，社会を支える一員としてのあり方について考えさせたい。

■題材観

　社会参画の視点により育成を目指す資質・能力は，集団の中において自発的・自治的な活動を通して，個人が集団へ関与するなかではぐくまれるものと考えられる。学校は社会参画に向けての学びの場であり，学校内のさまざまな集団における活動にかかわることが，地域や社会に対する参画や持続可能な社会の担い手となっていくことにつながっていく。本題材により，主体的な社会参画意識を少しでも醸成させたい。

■指導の背景等

　選挙権は若い人に政治への関心をもたせるねらいのもと，2016年に対象年齢が20歳から18歳へと引き下げられた。しかし残念ながら，若い人たちの投票率が低い現状が続いている。一人一人が投票によって未来を変えられることを意識し，これまで以上に社会のために自らが考えて責任ある行動をとることが必要となる。そういった現状を改善してくためにも，キャリア教育の実践が求められている。

2　本時の活動テーマ

> ### わたしたちが社会の一員としてできることはなんだろう？

3　目指す生徒の姿

■キャリア教育の視点で

・激変する社会的事象や社会環境の変化に理解を深め，社会を支える一員としての意識を高めることができる生徒

■特別活動の視点で

・社会を支えるための自分の役割等を考えることができる生徒

4　本時の評価規準

これからの社会生活を見通すために必要な **知識・技能**	さまざまな社会生活の変化を イメージする **思考・判断・表現**	社会を支える一員としての イメージを具体的に考えようとする **態度（主体性）**
●社会環境の変化に気づくことができる。 ●社会参画のための基本的な知識や技能について考えることができる。	●社会環境の変化を理解し，社会のために自分のすべきことを考えることができる。	●社会参画に向けその意義や大切さについて考えることができる。
キャリア教育の評価の視点／評価規準から確認できる基礎的・汎用的能力		
□自己理解・自己管理能力	□人間関係形成・社会形成能力	□課題対応能力 □キャリアプランニング能力

5 展開
(1) 事前の活動と指導

活動内容（活動の場面等）	指導上の留意点
●自分たちの住んでいる地域の特色について調べておく。（家庭学習）	●調べた内容を学級通信で発信し，教室掲示した状態で授業が展開できるようにしておく。

(2) 本時の展開

	生徒の活動（学習内容と活動）	指導上の配慮事項（○）と評価（※）
導入	1 「選挙権」について考える。 ・3年後には私たちが持つ選挙権について考え，若年層が社会を支えていく本時の意義を考える。 ● 本時の活動テーマを理解する。	○ ICTを活用し，選挙について情報収集を図る。 ○ 選挙権に関する資料や事例を準備しておく。 ※ 選挙権が18歳となったさまざまな理由について考えることができたか。【課】

活動テーマ ／わたしたちが社会の一員としてできることはなんだろう？

	生徒の活動（学習内容と活動）	指導上の配慮事項（○）と評価（※）
展開	2 「地域の課題」「地域の一員としてできること」について考える。 ・地域の課題について話し合い，小集団ごとにまとめる。 3 課題や地域の現状取り組みに目を向け「地域の一員としてできること」についてまとめる。	○ 事前に調べた内容をまとめておく。 ○ ICT活用や行政資料等で情報収集する。 ○ 地域について具体的に考えさせるために，写真や文献などを準備しておく。 ※ 地域社会の実態に関心をもち，社会の一員としての役割について考えているか。【人・社】【理・管】【課】
まとめ	● 本時の感想等の発表により共通理解を図る。	○ 社会を支える一員としての自分を意識させる。 ○ 社会の一員としての行動や実例を確認できるように，あらかじめ新聞記事等の資料を用意し，配付できるよう準備しておく。 ※ これからの時代における社会参画の意義や重要性について理解できたか。【人・社】

(3) 事後の活動と指導

活動内容（活動の場面等）	指導上の留意点
●まとめた内容を教室掲示や学級通信等で発信する。	●掲示物や学級通信を通して学級の意見にふれ自分の考えを深めることができるようにする。

6 キャリア・パスポートへのつながり
●地域社会の一員として自分の進路や夢がどのように実現していくか考え，過程をキャリア・パスポートの基礎資料として反映させる。
●将来社会の一員として社会を支え担う自覚を養い，その考えや思いを今後の進路選択に反映させていく。

7 発展的な学習へのつながり
●社会科の知識として，選挙権等について考える資料とする。
●シティズンシップ教育推進のひとつとして，本時を展開することもできる。
●地域へ目を向け，ふるさとを考え理解する教育のきっかけともなる。

■ワークシートのねらい

　人口減，過疎化，自治体の大幅減少等，今後の社会の成立が危惧される現状のなか，将来の社会を生きる生徒自身が，社会に生きる一員としての自覚を持たなければならないと言われています。選挙権をきっかけに自分の地域について深く考えることは，市民性を深めるうえでとても重要です。3年後の18歳には選挙権が与えられ，地域や社会の担い手となっていく社会を支えていくことも，しっかりと気づかせなければいけません。

　そのためにも地域の課題を見つめ友人の意見や話し合いを通して自分の考えを深めながら，社会の一員としてのあり方について考える機会が本ワークシートとなります。

■ワークシート活用のポイント

　○ ワークシートの記入内容も大切ですが，どんなことを考え話し合ったのかがもっと大切です。
　○ あまり書くことにこだわり過ぎないようにしましょう。

■「主体的・対話的で深い学び」への ポイント

　○ 保護者や地域の方等，地域の大人からの情報は有効です。
　○ いまできることについて，日常の学校生活等に接続させるのも大切な視点です。
　○ 社会科や総合的な学習の時間等，いままでの地域学習等をふり返り考えさせましょう。

■評価のポイント

　○ 地域社会の実態に関心をもち，社会の一員としての役割について考えることができたでしょうか？
　○ その考えを具体的に形とする方法まで考えさせれば，より機能性が高まります。
　○ 地域の方や保護者に評価してもらうのは大きな励みになります。

■こんな時間と接続したら……

　○ 社会科公民分野での活用も期待できます。
　○ 選挙権については，シティズンシップ教育の視点も考え，どこかの領域等で特化して指導する必要があるでしょう。
　○ 地域を考える学習が，ふるさとに生きることを考えるきっかけとなれば理想的です。

わたしたちが社会の一員としてできることはなんだろう？

3年＿＿組＿＿番　氏名＿＿＿＿＿＿＿＿＿＿

「選挙権」ってなんだろう……

わたしたちの地域の課題とは

中学生のわたしに，いま地域の一員としてできることはなんだろう。

理由

社会の一員として，今後どうするか

保護者からひと言

③ 男女が協働する社会

■活動のテーマ／男女が協働する社会をつくるには？

1 題材設定の理由

■指導観

　1999年の男女共同参画社会基本法などの法令の制定やジェンダーフリーの考え方，LGBTQのセクシャルマイノリティへの理解など，男女が同じ立場で協働していく社会は，いたって自然な社会であり，現在においても当たり前の理念である。もちろん，このような男女共同参画に関する考えは発展的に進化し，今後の社会の基本理念となる。そのような時代背景も鑑みると，将来の社会を担う生徒たちの，男女が協働する意識や共同参画の考え方の育成は急務といえる課題である。

■題材観

　日本国憲法では 結婚の選択や財産などあらゆる面で男女の平等が規定されている。また昨今言われるようになったダイバーシティの考え方に基づき，男女の多様な価値観を共有し協働する社会をつくることが求められている。

■指導の背景等

　国の政策により，外国人労働者や観光客が増加しめまぐるしく変わる国際情勢によって，日本古来の考え方や文化に加えて国際的な基準にそった考え方も加わり，社会の大きな変化に対応することが迫られている。男女平等の観点からも，日本は諸外国に比べて女性のリーダーが少ないといった課題もある。

2 本時の活動テーマ

> ### 男女が協働する社会をつくるには？

3 目指す生徒の姿

■キャリア教育の視点で

・男女共同参画社会の理念のもとに多様な生き方を尊重し，長期的な展望を見通せる生徒

■特別活動の視点で

・男女相互について主体的に理解し，協力と尊重とともに充実した生活づくりに参画できる生徒

4 本時の評価規準

男女が協働する社会のために必要な **知識・技能**	男女が協働する社会をイメージする **思考・判断・表現**	男女が協働する社会について， いま必要なことを考えようとする **態度（主体性）**
●男女が協働する社会について理解することができたか。	●男女が尊重した協働的取組について，考えることができたか。	●男女が協働する活動について，実践を進める意識を高めることができたか。
キャリア教育の評価の視点／評価規準から確認できる基礎的・汎用的能力		
□自己理解・自己管理能力	□課題対応能力 □キャリアプランニング能力	□人間関係形成・社会形成能力

5 展開

（1） 事前の活動と指導

活動内容（活動の場面等）	指導上の留意点
●ジェンダーの意識把握。（短学活等）	●男女共同参画や異性への意識などの生徒の実態を把握する。

（2）　本時の展開

	生徒の活動（学習内容と活動）	指導上の配慮事項（○）と評価（※）
導入	1　ジェンダー意識のアンケートの結果を示す。 ・ジェンダー　・男女の特性 ・男女共同参画　などについて話を深める。 ● 本時の活動テーマを理解する。	○　アンケートの結果をもとにして，男女の関係をどのようにとらえているのかを共有させ意識を高める。 ○　男女それぞれに，固定的な見方や偏見が少なからずあることを気づかせるように指導する。
	活動テーマ ／ 男女が協働する社会をつくるには？	
展開	2　男女が協働する社会について，わたしたちができることを考える。 ・資料を活用し以下のテーマについて話し合う。 【深めるテーマのヒント】 ①将来の職業 ②就業状況 ③育児や家事負担（育休の取得） ④学級の仕事学校生活　等 3　話し合ったことを発表し，学級で考えを共有する。 4　ダイバーシティについて考える。 【深めるテーマのヒント】 ①LGBTQなどのセクシャルマイノリティについて ②人権　③高齢化　等 その時代に合ったテーマで深める。	○　男女共同参画社会の理念を確認し，深めるテーマをもとにして，小集団ごとに男女の協働するための手立てを考えられるようにする。 ○　④については，①～③の状況を参考にさせる。 ○　ICT等調べ学習の準備をする。 ※　男女の協働について考えを深めることができたか。【人・社】【課】 ○　発表の形式や方法について各学級の実態に応じて行う。 ○　ICT等を活用する。 ○　ダイバーシティで掲げられる多様性に寛容になることで，個性を尊重する気持ちを醸成する。 ○　説明等は人権に配慮しつつ誤解のないように行う。 ※　テーマの現状や社会の課題について理解することができたか。【課】【キャ】
まとめ	5　感想やこれから自分自身が他の人に配慮するべきことをあげる。	○　自分の考えをまとめ多様な価値観を共有させる。 ※　男女の協働に向け，考えを持つことができたか。【理・管】

（3）　事後の活動と指導

活動内容（活動の場面等）	指導上の留意点
●学級通信等を活用して生徒の多様な意見を共有する。 ●さまざまな場面を想定し具体的な事例をもとに異性の気持ちを考える。	●授業における具体的な生徒の様子や，考え方の変化について伝えることができるよう配慮する。 ●性差にとらわれない考え方と異性の特性について，バランスよく指導して行く。

6　キャリア・パスポートへのつながり

●今後，多様性が深まる社会において，自分がどのように生きていくか，男女の協働をどのように進めていくかを考える過程をキャリア・パスポートに活かしていく。

7　発展的な学習へのつながり

●保健体育科の「心と身体の発達」や社会科の「日本国憲法と人権」等と接続させる。
●保健安全指導における生命尊重の学習行事や性の指導等につなげていく。

男女が協働する社会をつくるには？

■ワークシートのねらい

　時代はすでに男女共同参画社会となっています。この先を生きる生徒にとって，男女の協働やトランスジェンダー等は特別な事象ではなくなります。そんな生徒たちは，男女共同参画社会を生きる基本的な考えや知識を理解する必要があります。このような男女協働における基本を培うために，男女が協働する社会を目指すためにどのように協力をしていく社会が望ましいのかを，考えさせなくてはなりません。本ワークシートでは「職業」や「家事」などの具体的に場面を例示して考えさせ，広く社会的な汎用性を持たせていきます。

■ワークシート活用のポイント

○ 社会科といままでの学習での関連があれば，積極的に活用しましょう。
○ ICT 等を準備し，その場での調べ学習も可能です。
○ グローバルな課題ですので，さまざまな社会的情報を活用しましょう。

■「主体的・対話的で深い学び」へのポイント

○ 男女の協働社会を目指すための方策を具体例を記述させて，小集団をつくり話し合わせましょう。
○ ダイバーシティの考え方を共有し，望ましい共生の在り方の話を膨らませ，理想の社会を考えるヒントとします。
○ 学級での日常をふり返り，いまの生活での男女協働に視点を当てていきます。
○ なかなか身近に感じられない生徒もいますので，テーマの関連資料は用意しておきましょう。

■評価のポイント

○ どんな小さなことでもかまわないので，多様な価値観をたくさんピックアップしましょう。
○ 自然な形で男女の協働が捉えられたかを評価してあげましょう。
○ いまの生活（学校・学級等）において，男女の協働として何をすればよいのか考えられたら理想的です。

■こんな時間と接続したら……

○ 保健体育科の「心と身体の健康」や社会科の「日本国憲法と人権」等で活用できれば，さらに深まります。
○ いままでもダイバーシティや協働にふれている学活の内容がたくさんあるはずです。ぜひとも，ポートフォリオをふり返ってみましょう。
○ 生き方を考える深いテーマは，各教科との往還を進める重要な題材です。

男女が協働する社会をつくるには？

3年＿＿＿組＿＿＿番　氏名＿＿＿＿＿＿＿＿＿＿＿＿＿＿＿＿

1　男女が協働する社会についてできることは？

将来の職業	育児・家事負担	就業状況

仕事・学校生活等

2　「ダイバーシティ」ってどんな社会？

「多様性」ってどのように尊重したらいいのだろう？（考え方や制度法律など）

3　男女が協働する社会をつくるために感じたことは？（本時のふり返り）

④ 命をおびやかす，さまざまな危機

■活動のテーマ／危険から身を守る方法を考えよう

1 題材設定の理由

■指導観

　身のまわりに潜む危険や危機について理解させるとともに，どうすれば危険そのものを無くせるのか，どうすれば被害を避けることができるのか等を考えさせる。それらの思考をもとに，自分の命は自分で守るという意識を高める。そして危険を感じたら断る勇気を示す態度を身に付けさせたい。それらの行動が自分や大切な人を守ることにつながることを理解させたい。

■題材観

　現代社会は情報化が加速し，快適さが増す一方で，さまざまな危険も隣り合わせで迫っている。安全な生活を送るためには，まず何よりも自分自身で危険を察知し，身を守る意識を持つことが大切である。私たちを取り巻くさまざまな危険から健康安全を守るための方法を考えるために，この題材を設定した。

■指導の背景等

　中学校生活の3年間は，心身の発達と人格形成において大事な成長を遂げる時期である。この時期は社会のルールを知り，社会の中の自分を見つめる準備期間ともいえる。アルコールやたばこ，薬物，また近年では急速に発展するインターネット・SNSを悪用した犯罪も際限がない。いつの間にか被害者・加害者とならないよう，活用の仕方等についての教育が求められている。

2 本時の活動テーマ

> 危険から身を守る方法を考えよう

3 目指す生徒の姿

■キャリア教育の視点で

・身の回りの危険や心身の健康について理解し，自分を守る意識を高められる生徒

■特別活動の視点で

・心身の健全な発達や健康の保持増進などについて意識し，主体的に行動できる生徒

4 本時の評価規準

より安全な中学校生活を送るために必要な**知識・技能**	安全・安心な将来についてイメージする**思考・判断・表現**	自分の命を守るために，主体的に学習に取り組む**態度（主体性）**
●インターネットやSNS等を中心とした，身の回りにあるさまざまな危険性について理解している。	●自分の命は自分で守る意識を高め，危険を感じたら断る判断をしている。 ● SNS等での悪質な書き込みや自撮りの投稿等がどのような（悪い）結果につながるかを予測している。	●自分の命は自分で守ろうとする態度や心身の健康維持に努め，行動しようとしている。
キャリア教育の評価の視点／評価規準から確認できる基礎的・汎用的能力		
□自己理解・自己管理能力	□人間関係形成・社会形成能力 □キャリアプランニング能力	□課題対応能力

5 展開
（1） 事前の活動と指導

活動内容（活動の場面等）	指導上の留意点
●保護者や身近な人に，危険に直面した体験談やその時の対応についてインタビューする。（家庭学習） ●交通安全教室などで学んだ，危険から身を守るための方策についてふり返る。（短学活）	●インタビューした内容は学級通信で配信し，生徒の意識を高めておく。 ●ヘルメットをしっかり着用するなど「自分の命は自分で守る」ことを強調する。 ●ワークシートQ1の記入。

（2） 本時の展開

	生徒の活動（学習内容と活動）	指導上の配慮事項（○）と評価（※）
導入	1 事前の活動でまとめたことを小集団で共有する。 ● 本時の活動テーマを理解する。 **活動テーマ／危険から身を守る方法を考えよう**	○ 話し合った内容を発表する。 ○ ワークシートQ1の内容の共有と発表。
展開	2 身近に潜む危険についても考え，ワークシートQ3に記入する。 ・ここではインターネットやSNSの危険について特化して話し合う。 3 インターネットやSNS以外の危険性について，小集団ごとでそれを無くすための方策や対応策を話し合う。（ワークシートQ4）	○ 『中学生活と進路』P20を資料とし，ネット等の危険についてふれる。 ○ 未成年者の飲酒や喫煙など，法律で禁止されていることについてしっかりとおさえておく。 ※ 積極的に話合いに参加し，危険から身を守るための方策や対応策を考えることができる。【課】【キャ】
まとめ	● 危険を克服した事例等について知る。 ● 本時の内容をふり返る。	○「釜石の奇跡」を含め他の事例について紹介する。

（3） 事後の活動と指導

活動内容（活動の場面等）	指導上の留意点
●地震の際，どこに避難するのかを再確認するなど保護者と一緒に危険から身を守る方法を話し合う。（ワークシートQ2へのまとめ等）	●話し合った内容を学級通信で発信し，他の家庭でも参考にできるようにする。

6 キャリア・パスポートへのつながり
●緊急時の避難場所について，家族と話し合った内容をポートフォリオしておく。
●小学校から避難場所等の記述を残しておくことで，避難場所を確認したり見直したりすることができる。
●安全・安心に関するさまざまな考えは，キャリア・パスポート作成の基本的な視点のひとつになる。

7 発展的な学習へのつながり
●『中学生活と進路』「⑪食生活の充実と安全」では正しい食生活を心がけることについて扱っており，本題材の生活習慣病予防と関連している。
●『中学生活と進路』「㉑進路のストレスを上手に解消しよう」ではさまざまなストレスの解消について扱っており，本題材の心身の健康維持と関連している。
●非行防止教室や薬物乱用防止教室等とも関連しており，安全指導に生かすことができる題材である。
●広く保健安全や生命尊重の学習と接続し活用することができる。
●感染拡大防止に関する話題にもふれ，日常生活での対応にも注視させる。

危険から身を守る方法を考えよう

■ワークシートのねらい

　危機管理に関する報道が毎日のようになされるなか，危険から身を守る方法を考えることは，生き方を考えることの中心ともいえます。本ワークシートでは1・2年での安全な生活への学びや家庭における取組等も含め危機管理全般について総合的に考え，3年間のまとめとし，日常生活に活かしていきます。自然災害等の発生も含め，いまはまさしく予測が困難な時代です。そんななかで，本活動がこの先いつか生徒たちに降りかかる困難を，少しでもやわらげる学びになるよう，指導しましょう。

■ワークシート活用のポイント

○ ワークシートをヒントに危機管理の全般について話し合えるようにしましょう。
○ 保護者とも防災意識を共有することで，実効性のあるワークシートとなります。

あなたの身近にある危険は……？

当サイト
閲覧利用料
100,000円
となります。

■「主体的・対話的で深い学び」へのポイント

○ Q1のインタビューをていねいに伝えることで，本時の学び全体が引き締まります。
○ 危険性を無くすための方策や，起きてしまったときの対応策について小集団で協力して話し合わせることで，さまざまな考えに反映された対応策となります。
○ 小集団での話合いにうまく参加できていない生徒がいる場合には，小集団内で役割を与えるなど活躍できる体制を整えてあげましょう。

■評価のポイント

○ 事前の活動について調べてきたことを小集団で発表し，危険に対応する心構えを整えましょう。
○ ICT活用やLINE，図書等の利用により，対応策等についてさらにリアリティを持たせましょう。

■こんな時間と接続したら……

○ 保健体育科の「心と身体の健康」や社会科，保健安全指導にも大きくつながります。
○ 保護者や地域の方とつながりを持つことで，防災に関する地域の意識が高まります。

危険から身を守る方法を考えよう

3年＿＿＿組＿＿＿番　氏名＿＿＿＿＿＿＿＿＿＿＿＿＿＿＿＿

1　保護者や身近な人に，危険に直面した体験談やその時の対応についてインタビューしよう。

2　地震の際どこに避難するのかを再確認しよう。保護者と一緒に危険から身を守る方法を話し合おう。

　●私たちの家族は地震の際（　　　　　　　　　　　　　　　　　　　　）に避難します。
　●その他話し合った内容

※ Q1，Q2 については，家庭で話し合います。

3　身近に潜む危険について考えよう。

4　以下の危険性を無くすための方策や対応策について話し合おう。（グループごとに異なる危険性を選択する）
　　例）アルコール・たばこ・薬物の害／交通事故（加害者となる場合）／交通事故（被害者となる場合）
　　／生活習慣病／自然災害（豪雨）／自然災害（熱中症）

　●私のグループは（　　　　　　　　　　　　　　　　）について話し合います。

　●それを無くすための方策や起きてしまったときの対応策

● 本時の内容をふり返ろう。

● 保護者からひと言。

中学3年 ⑤ 将来につなぐ，いまの学び

■活動のテーマ／これからの学習プランを立てよう（将来のために）

1 題材設定の理由

■指導観

受験という進路選択の現実を目の前に，いわゆる入試に対する学習体制も意識する時期である。ただし，その学びが入試終了後に剥離してしまう一時的なものにならないよう，いまの学びが将来につながるものであることを意識させたい。自分のための学習プランを立て，自己実現のための基礎的・汎用的能力をはぐくんでいく。

■題材観

一人一人のキャリア形成をはぐくみ自己実現への資質・能力や意識を培っていくためには，現在や将来の学習と自己実現とのつながりを考え学ぶことと，将来の目標等を意識させ考えていくことが重要である。受験というタイミングでの状況を活かしながら，目標達成のための過程を踏ませたい。

■指導の背景等

受験期の生徒の主体的な学びを支援するために，目標や希望を持たせ，進路選択を実現するための活力を生み出すことが重要な時期となっている。

2 本時の活動テーマ

> これからの学習プランを立てよう（将来のために）

3 目指す生徒の姿

■キャリア教育の視点で

・目標を達成するための見通しを持ち，自分のすべきことを考えることができる生徒
・進路選択のための学習計画を立案・実行できる生徒

■特別活動の視点で

・主体的な進路の選択と将来設計を具体化するための方策を具現化できる生徒

4 本時の評価規準

進路の目標を具現化するための **知識・技能**	キャリアプラン実現のための **思考・判断・表現**	キャリアプランを実行する主体的な **態度（主体性）**
●進路の目標から学ぶことの意見やプランについて考えることができたか。	●進路目標と併せて，自分の現状を評価し自分に適した学習プランを作成することができたか。	●友人と学習プランの共有化を図りモチベーションを高めることができたか。
キャリア教育の評価の視点／評価規準から確認できる基礎的・汎用的能力		
□自己理解・自己管理能力	□キャリアプランニング能力 □課題対応能力	□人間関係形成・社会形成能力

5 展開

（1） 事前の活動と指導

活動内容（活動の場面等）	指導上の留意点
●進路希望調査等での実態の把握。（短学活等）	●日頃の進路希望等のアンケートによって生徒一人一人の情報を確認し本時の活動につなげる。

（2） 本時の展開

	生徒の活動（学習内容と活動）	指導上の配慮事項（○）と評価（※）
導入	1 何のために受験をするのか，自分の考えやまわりの考えにふれる。 ● 本時の活動テーマを理解する。	○ 学級の進路学習調査の確認。 ○ それぞれの進路選択を通して多様な進路選択を理解し，絶対はないことを自覚させる。
	活動テーマ ／これからの学習プランを立てよう（将来のために）	
展開	2 現在自分がどんな将来プランがあるのかまとめる。（ワークシート Q1） ・将来のプランの確認 ・実現に向けての方策 ・悩みや不安　　　　 などの共有 3 学習プランを作成し，受験にむけての方策や生活リズムの見直しを行う。 【深めるポイント】 ・基本的生活リズム（朝型夜型） ・塾や習い事との両立 ・休日の有効な使い方　など	○ 将来の目指している職業等を確認し，目標や理由などが明確にあることを確認する。 ○ 将来のプランの実現に向けての悩みや不安を共有することで，友人とともに受験期を乗り切ろうとする意識を高めさせる。 ※ 自らの将来のプランを再確認し，不安や悩みが誰にでもあることを共有できる。【人・社】【キャ】【課】 ○ 深めるポイントなどの補足資料（統計データ）を通して，具体的なプランの作成を促せるようにする。 ※ 自分の目標達成するための方法等を思考し，学習プランを作成することができる。【キャ】【理・管】
まとめ	● 担任等の経験などを通したアドバイスを行い，本時の感想を記入する。	※ 目標達成のためのモチベーションを高めることができたか。【理】【人・社】

（3） 事後の活動と指導

活動内容（活動の場面等）	指導上の留意点
●自分自身の1日の生活や学習プランを評価し，見直しや改善を行う。（家庭学習・学級活動等）	●日々の自主学習や日記等と平行し，自分の学習プランを見つめ見直す機会をつくるよう配慮する。

6　キャリア・パスポートへのつながり

■将来のプランの確認
■学習プランの作成

>

■目標達成のための学習プラン等の立案の過程
■将来のプランの再確認や吟味

>

■目標達成のために試行錯誤する過程がキャリア・パスポートに反映される

7　発展的な学習へのつながり

● 進路選択への覚悟を決め，受験体制の心構えを明確にさせ，集中して受験に挑ませたい。
● 学級においても，受験体制を明確にし，受験は団体戦という意識づけをしたい。
● 受験に向かう自分への励みにもしたい。

これからの学習プランを立てよう（将来のために）

■ワークシートのねらい

人生ではじめてといっても過言ではない進路選択を前にした生徒たちは，笑顔の下にその悩みや不安，ストレス等を感じていることでしょう。でも，将来の自分を救えるのはいまの自分しかいません。ここでいま一度「将来のプラン」について再確認させ，自分の決意を固めさせてあげましょう。そして自らの進路実現に向けた意識を高め，受験当日まで逆算してプランニングし，自分を律して日々生活をしていくきっかけとさせましょう。

> いま，わたしたちが
> やるべきことは？

勉強時間は……

ゲームは……

塾は……

友達と遊ぶ
時間は……

■ワークシート活用のポイント

○ 実施のタイミングによっても違いますが，「将来のプラン」は状況により，最終確認となる生徒もいるかもしれません。ていねいに記入させましょう。

○ 友人と感化し合いながら「学習プラン」を練らせましょう。大切なのは決意です！

■「主体的・対話的で深い学び」へのポイント

○ 受験にむけての悩みを共有するために，具体的な事例を友人と考えさせましょう。

○ 小集団で話し合わせ，ワークシートやボードにまとめ，全体でも共有しましょう。

○ 学習プランも共有することにより，お互いの努力する意識を励まし合いましょう。

○ 保護者の方からエールをいただきましょう。

■評価のポイント

○ ワークシートに将来の展望や一日のプランを考え，受験期に向けて考えを深めることできれば，自分の進路は固まったも同然です。

○ これからの生活のプランづくりを通して受験体制へのアドバイスをしましょう。

○ 受験は団体戦。友人同士で支え合う意識を持ちましょう！

■こんな時間と接続したら……

○ 受験体制に向けた，ひとつの切り替えの時間となるかもしれません。
○ 今後の受験勉強のふり返りや「毎日頑張っているぞ！」という自分への励みにしてください。

これからの学習プランを立てよう（将来のために）

3年＿＿＿組＿＿＿番　氏名＿＿＿＿＿＿＿＿＿＿＿＿＿＿＿＿＿

1　「将来のプラン」は？

1　進学や就職	高校などの進学は	
	その学校に進学する理由	
	就職は	
	その就職先（職業）を選んだ理由	
2　1の実現にむけての方策		
3　現在の悩みや不安		

2　1日の学習プランを見直そう。（生活の見直し）

時間		現在の生活	改善点
朝			
昼			
夜			

● この時間をふり返って。

● 保護者からひと言。

働くこと，そして生きること
■活動のテーマ／働くって，生きるって何だろう

1　題材設定の理由

■指導観

　働くことと生きることは密接につながっているが，社会の急激な変化に伴って企業や若者をとりまく環境にも大きな変化が起きている。そうした先の見えにくい社会に対応していくためにも，さまざまな情報を読み込んで生徒たちの働く未来について考えさせたい。また，家族や近所の方に職業インタビューを行ったり，地域で活躍する職業人に，講師としてお呼びして講話をいただいたりして，家庭や地域と連携を深めながら生徒の学習意識を高めていくことも考えたい。

■題材観

　多くの生徒は，将来仕事に就き職業人として社会で働くことを考えている。しかし，生きていくための社会の仕組みを学ぶ機会は少ない。社会人として生きることと，それを支える生活基盤社会の仕組みを踏まえて，将来を見据えた進路選択を進めていくために本題材を設定した。

■指導の背景等

　働くことと生きることをつなげる題材は，学ぶことと働くことの乖離の改善を図るべく，キャリア教育の視点に立った学習活動を展開するものである。

2　本時の活動テーマ（本題材は２つの活動テーマにより，２時間扱いで展開する）

> (1) 働くって，生きるってなんだろう「キャリアプランをつくってみよう」

> (2) 働くって，生きるってなんだろう「10年後の生活をシミュレーションしよう」

3　目指す生徒の姿

■キャリア教育の視点で

・経済的に自立した生活の概要を理解できる生徒
・将来の生活と職業とを関連させ，自らの進路に目標と方向性を持っている生徒
・将来の生活について広い視野で考え，ワークライフバランスを考慮できる生徒

■特別活動の視点で

・自分の個性や適性をしっかりと理解できている生徒

4　本時の評価規準（第１時）

働くことと生きることの つながりについて考える **知識・技能**	働くことや生きることの 自分の将来について考える **思考・判断・表現**	自分の将来の さまざまな生き方について 主体的にイメージする **態度（主体性）**
●自分の人生にかかわる情報や考えを整理することができたか。	●情報や考えをまとめキャリアプランを作成することができたか。	●自分の人生への関心を高めることができたか。
キャリア教育の評価の視点／評価規準から確認できる基礎的・汎用的能力		
□自己理解・自己管理能力	□キャリアプランニング能力 □課題対応能力	□人間関係形成・社会形成能力 □キャリアプランニング能力

5 展開（第1時）

（1） 事前の活動と指導

活動内容（活動の場面等）	指導上の留意点
●興味のある（希望する）職業等についてアンケートを実施する。（短学活） ●アンケートをまとめる。	●アンケートのまとめ方や発表の仕方を指導する。 ●仕事と家庭生活，それ以外での生き方にふれる。

（2） 本時の展開

	生徒の活動（学習内容と活動）	指導上の配慮事項（○）と評価（※）
導入	● アンケートの集計結果を知る。 ● 本時のテーマ・学習の流れ等を理解する。	○ 小集団ごとに代表が集計結果を読み上げて確認する。 ※ 関心をもってアンケート結果を聞くことができる。【理・管】
	活動テーマ／キャリアプランをつくってみよう	
展開	1 ワークシート「将来の生き方を考えてみよう」に取り組む。 2 「将来の様子」についてさまざまな角度から考えて言葉にしてみる。 3 キャリアプラン（表）を記入する。 『中学生活と進路』P36・37 に取り組む。	○ 望んでいる生活や就きたい職業，家庭生活や仕事以外の学びについてまとめる。 ○ 漠然としたものを言葉にすることで，ある程度はっきりさせていく。 ○ 「家庭生活」「学び」「仕事」を関連させながら記入させる。 ※ 将来の生活と職業とを関連させながら，自らの進路に方向性を持つことができる。【キャ】【課】
まとめ	● 本時についてまとめる。	○ 今後生まれてくる新しい職業や変化し続ける企業にもふれながら，情報収集の大切さと自らの生き方を考え続けることの大切さにふれる。 ※ 自分の今後の人生について関心を高めている。【人・社】

（3） 事後の活動と指導

活動内容（活動の場面等）	指導上の留意点
●夏休み等を利用して説明会や体験入学に参加する。 ●調べた内容をまとめ学級内発表会を行う。	●説明会や体験入学の情報をまとめ，本人と保護者に提示する。 ●説明会等には複数箇所に参加させ，情報の比較をしやすくする。 ●個人の進路希望が明確に他者に知られないよう配慮する。

6 キャリア・パスポートへのつながり（第1時）

■働くことと生きることを考えたキャリアプランの作成 ＞ ■自分の進路を考え確認する過程／■働くこと以外の人生や生き方について考える過程 ＞ ■キャリアプランを総合的に考える過程がキャリア・パスポートに反映される

第三学年

■ワークシートのねらい

中学3年生も中盤となると進路選択を決定する大切な時期になります。卒業後の具体的な進路先の決定も重要ですが，そのためにはいま一度人生の長いスパンで生き方を考えさせたいものです。自分は実際の10年・20年後に何をしているのか，どんな生活をしているのか考え，卒業後の進路先と接続させてキャリアプランを作成させましょう。受験に向けてのポジティブなはずみになるはずです。

■ワークシート活用のポイント

○ 自分の生き方を考える最後の活動になるかもしれません。自分の生き方を明確にさせましょう。
○ 過去に同様のエクササイズがあります。いままでのワーキングポートフォリオは積極的に活用してください。

■「主体的・対話的で深い学び」へのポイント

○ 事前の活動として実施する「アンケート」の集計を積極的に活用しましょう。
○ 将来の生き方についての肯定的な話題も多いです。友人と共有して，価値観を交流しましょう。
○ 自分の趣味や興味も含めて，楽しい人生をイメージさせましょう。

High school　University

■評価のポイント

○ 自分の人生について関心や興味を高めることが大切です。
○ 友人との共有等で，互いに励まし合いましょう。

わたしの将来……

■こんな時間と接続したら……

○ このように将来を考えるワーキングポートフォリオは，その過程において，すべてがキャリア・パスポート作成の裏付けとなります。間接的なつながりかもしれませんが，ひとつひとつの蓄積が，生徒一人一人のキャリア・パスポートを彩ります。

キャリアプランをつくってみよう

3年____組____番　氏名_____

将来の生き方を考えてみよう

1　将来どんな生活をしたい?

2　将来どんな職業について, どのように働きたい?

3　将来「家庭生活」や「仕事」以外の場でどんなことをしたい?

さまざまな角度から将来の様子を考えてみよう

①　住んでいる場所はどこ?

②　働いている場所はどこ?

③　誰と一緒にくらしている?

④　どんな友人が多い?

⑤　どんな国に行ってみたい?

⑥　熱中している趣味は?

⑦　新たに学びたいことは?

⑧　どんな老後をおくりたい?

4　本時の評価規準（第2時）

働くことと生きることの つながりについての **知識・技能**	働くことと生きることを中心に 将来をイメージする **思考・判断・表現**	自分の将来について経済的側面から 主体的にイメージしようとする **態度（主体性）**
●経済的な側面から10年後の自分を想像することができたか。	●経済性の側面から自分の10年後について考えることができたか。	●自立することの大変さを理解することができたか。
キャリア教育の評価の視点／評価規準から確認できる基礎的・汎用的能力		
□人間関係形成・社会形成能力	□キャリアプランニング能力 □課題対応能力	□自己理解・自己管理能力 □課題対応能力

5　展開（第2時）

（1）　事前の活動と指導

活動内容（活動の場面等）	指導上の留意点
●一人暮らしをするための経費について家族や知人から話を聞く。（家庭学習） ●交通費や光熱費家賃等について広告やタウン誌，ネット上から情報を得る。（家庭学習）	●学級通信やメール配信を利用して家庭の協力をお願いするとともに，家庭の経済状況を調べるものではないことを理解してもらう。 ●一人暮らしを想定して情報収集を行う。

（2）　本時の展開

	生徒の活動（学習内容と活動）	指導上の配慮事項（○）と評価（※）
導入	1　アンケートの集計結果を知る。 ●　活動テーマや本時の流れを理解する。 活動テーマ ／ 10年後の生活をシミュレーションしよう	○　自分に当てはめながら考える。
展開	2　ワークシートに取り組む。 職業と月収を決める 税金や年金の掛け金を考える 生活費を考える ・住むところと家賃を決める ・食費を計算する ・バイクやクルマの費用，維持費を考える ・その他の費用について考える ・医療費・衣料費・自由に使えるお金 3　(9)「感想」(10)「めざす生活」を記入する。	○　ワークシートに取り組む資料を準備しておく。（ICT機器，行政資料等） ※　一人暮らしの難しさやよさを理解しようとしている。【キャ】【課】 ※　感想を聞き視野を広げられたか。【人・社】【理・管】
まとめ	●　「感想」を発表し友人と共有する。	○　他者の考えを知り，よさを認め合ったり意見を交わしたりできるようにする。

（3）　事後の活動と指導

活動内容（活動の場面等）	指導上の留意点
●それぞれが記入したワークシートを家庭に持ち帰り，保護者に(11)「お金の使い方」をインタビューして記入する。（保護者に記入してもらう）	●数名の事例や保護者の感想を学級通信等で紹介して学びを深める。 ●個人情報の扱いを慎重に行い，学級通信等への掲載の際は名前を伏せたり掲載の了解を得たりする。

6　キャリア・パスポートへのつながり（第2時）

●働くことや生きることについて，経済的側面や多様な観点により考えることは，自分のキャリア発達を俯瞰的に考えることにつながり，キャリア・パスポートに深化を及ぼすことになる。

■ワークシートのねらい

　ただ漠然と自分の将来を考える生徒にとって，何らかのファクターによる条件を与え，より具体的に将来を見つめさせることは，とてもリアリティの高いシミュレーションになります。本ワークシートでは，働くことや生きることを考える要素として，経済性に特化しイメージを広げさせます。自分の家庭の食費等の生活費も知らない生徒にとって，将来とともにいまの自分の生活をふり返るきっかけにもなるでしょう。

■ワークシート活用のポイント

○ 生徒への情報提供として，学校周辺の実際の家賃やガス料金について準備しておきましょう。先生の情報提示は生徒たちを盛り上げます。
○ 生徒がその場で調べられるように，ノートPCやタブレット端末を用意しておきましょう。
○ （12），（13）について後からでも取り組むことができれば，より信憑性の高い学びとなります。
○ 保護者や身近な大人からお金に関するシビアなコメントをもらいましょう。

■「主体的・対話的で深い学び」へのポイント

○ 経済性から自分の将来をイメージする過程は，生徒にとっても好奇心が高まる取組です。小集団で情報を共有しながら展開しましょう。
○ （10），（11）が本ワークシートのポイントになります。小集団の共有の後，個にかえってじっくりと考えさせましょう。
○ 活動によりリアリティを持たせるために，先生の方でもたくさんの生活情報を準備しておきましょう。

一人暮らしをするとしたら……

■評価のポイント

○ 友人と楽しく将来をイメージすることが一番の評価ポイントになります。
○ これをきっかけに，自分の将来や働くこと・生きることにさらに興味が高まれば理想的です。

■こんな時間と接続したら……

○ 広い視野で将来を考えることは，進路選択や目標設定の大きな力になります。キャリア・パスポートを作成するときの基本的な力となり，より広く深いものができるのではないでしょうか。

第三学年

10年後の生活をシミュレーションしよう

3年＿＿＿組＿＿＿番　氏名＿＿＿＿＿＿＿＿＿＿＿＿＿

経済と10年後の自分の生活！

　10年後の25歳。社会人になって数年。家族のもとを離れて経済的に自立した生活を計画して項目ごとに計算してみよう。

(1) わたしの仕事は(　　　　　　　　　　)です。月収は……

①資格の必要ない仕事	月収20万円
②資格が必要な仕事	月収26万円
③高度な技術や技能が必要な仕事	月収28万円
④アルバイト／フリーター	月収18万円
	(時給1,000円×7時間×25日)

月収
円

(2) 税金，保険料，年金の掛け金の支払い

①税金 (所得税＋住民税)　月収の10%
②健康保険＋年金 (掛け金) 月収の10%
※①＋②＝20%

円

(3) 会社から受け取る給料の手取り額

(1)　　　　円	－	(2)　　　　円	＝	(3)　　　　円

(4) 家賃の支払い

①駅から徒歩5分のワンルーム　　　8万円
②駅から徒歩15分のワンルーム　　7万円
③駅からバスで10分のワンルーム　6万円

円

(5) 毎月の生活費の支払い

①水道代　　　　3000円　　　　②電気代　　　　　　3000円
③ガス・灯油代　3000円　　　　④通信費／スマホ　8000円
⑤食費　　　　　45000円 (1500円×30日)

円

(6) 「給料」から「家賃」「生活費」を引いた残額

(3)　　　円	－(	(4)　　　円	＋	(5)　　　円	) ＝	(6)　　　円

(7) 医療費，衣料費，自動車の維持費，貯金

①医療費　　　　　　　3,000円　　②衣料費　3,000円
③自動車等の維持費　20,000円　　④貯金　　　　　円

※①＋②＋③＋④＝

円

(8) 手元に残る自由なお金 (おこづかい) はいくら?

(6)　　　円	－	(7)　　　円	＝	(8)　　　円

（9）おこづかいの使い道について考えてみよう。（平均的な1ヵ月を例にして）

（8）元のおこづかい	円
購入したもの等	金額
	円
	円
	円
	円
	円
	円
	円
合計	円

（10）10年後を想像してみて感じたことを書いてみよう！

（11）10年後の自分の生活はどんな生活にしたい？

（12）身近な社会人に「お金の使い方」について聞いてみよう！

（13）保護者からひと言。

自分らしい進路選択

■活動のテーマ／「自分」を見つめ自分に合った進路を選ぶにはどうしたらよいだろう

1 題材設定の理由

■指導観

生徒はさまざまな進路情報が与えられる一方で，「自分に合った」進路先を決定するには自己理解の不十分さや目標が定まっていない等の未熟さもいまだにある。そこで，学級の友人や保護者から進路選択の話を聞くことで悩みや不安解消の糸口とし，今後の進路選択にあたって，自己理解を深めたうえで自分に合った進路を決定してもらいたい。

■題材観

3学年の2学期は自分の進路を選択・決定していく重要な時期となる。進路に関する学習も将来の生き方（職業など）から中学校卒業後の進路（上級学校）へと具体性を増し，進学への意識も高まってきている。この時期に自分を見つめ直し自己理解を深めることにより，これからの進路選択に備えさせたい。

■指導の背景等

生徒は成績や高校の偏差値等の学力を重視し進路選択をしがちである。そこで，これからの進路選択を進めるにあたって，学力だけでなく自分の興味・関心や夢・希望等の自己理解に基づいた進路選択ができるよう，再確認の機会としたい。

2 本時の活動テーマ

> 「自分」を見つめ自分に合った進路を選ぶにはどうしたらよいだろう？

3 目指す生徒の姿

■キャリア教育の視点で

・自分を見つめることの意義を考え，自分自身に関する理解を深めることができる生徒

■特別活動の視点で

・自分自身を深く理解することにより，これからの自分の進む道を考えられる生徒

4 本時の評価規準

自分らしさと将来をつなげるための **知識・技能**	自分らしさと進路を接続させるための **思考・判断・表現**	さまざまな要素から自分らしい進路を 考えようとする **態度（主体性）**
●社会のなかで自分の役割を果たしながら，自分らしい生き方を実現していくことの意義を理解している。	●自己の学習と，将来の生き方や進路についての課題を見いだすことができる。自己の将来について適切な情報を収集し考え実践している。	●現在の生活や学習をふり返ったり，将来の在り方や生き方を見通し自己実現を図ろうとしたりしている。
キャリア教育の評価の視点／評価規準から確認できる基礎的・汎用的能力		
□キャリアプランニング能力	□自己理解・自己管理能力	□課題対応能力 □人間関係形成・社会形成能力

5 展開
（1） 事前の活動と指導

活動内容（活動の場面等）	指導上の留意点
●ワークシートQ1「進路選択のチェックポイント」の自分から見たよい点について考える。（短学活等） ●家族から自分のよい点について話を聞き，表の「③保護者から見たよい点」を記入する。（家庭学習）	●身近な人から自分のよい点について聞くように話す。 ●ワークシートQ1の①「自分から見たよい点」を記入する。 ●教師がよいところを示してもよい。 ●ワークシートQ1の③「保護者から見たよい点」は記入しておく。

（2） 本時の展開

	生徒の活動（学習内容と活動）	指導上の配慮事項（○）と評価（※）
導入	● 「自分についてのまとめ」の感想を発表する。 ● 本時の活動テーマを理解する。 　課題に取り組む前に「自分に合った進路先を決める際のポイント」を考える。	○ 進路選択にあたり自分の特徴を知ることの大切さを知らせる。 ○ 本時の活動テーマに興味をもって取り組めるよう，他の生徒の発表を聞かせる。
	活動テーマ ／ 「自分」を見つめ自分に合った進路を選ぶにはどうしたらよいだろう？	
	1 自分らしさについて再確認する。 　・ワークシートを参考にポイントを確認し小集団で話し合う。 　・友人から見たよい点を話し合いながら，ワークシートQ1「②友人から見たよい点」を記入する。 　・ワークシートの各項目の観点から自分自身を判断する。 2 進路選択の実態を知る。 3 資料の文章を踏まえ，進学についてまわりの人からアドバイスをもらう。（ワークシートQ2）	○ これまでのワーキングポートフォリオやキャリア・パスポートをふり返る。 ○ 周囲の人の評価も有効に活用させる。同時に他者理解の大切さも確認させる。 ※ 自分の興味・関心や能力個性・適性を理解しようとしているか。【理・管】【課】 ○ 教師による進路情報（進学）の提示。 ○ まわりのアドバイスを受け感想を述べ合う。 ※ 将来に向けた自分に関するまとめができているか。【キャ】【人・社】
まとめ	● 本時の感想について小集団で発表し合う。	○ 学習したことをさまざまな進路決定に生かすことができるよう助言する。 ※ 自分を正しく理解できたか。【課】【理・管】

（3） 事後の活動と指導

活動内容（活動の場面等）	指導上の留意点
●他者の考えや学級のようすを知る。	●保護者に授業の内容について学級通信などで知らせ，キャリア教育の啓発を図る。

6 キャリア・パスポートへのつながり

■自分らしさの理解
■自分に合った進路

■自己理解の深化
■進路情報の活用
■自分と進路の合意形成

■さまざまな情報を自分なりに合意形成する過程はキャリア・パスポート作成に機能する

「自分」を見つめ自分に合った進路を選ぶにはどうしたらよいだろう

■ワークシートのねらい

　進路選択には，進路先の情報や学力のみならず，自分の適性やまわりの環境等も含めた多様な進路情報が必要になります。まずはその情報を収集し活用する情報リテラシーとして諸条件を理解し，自分なりにベストな合意形成を図っていくキャリアプランニング能力等，基礎的・汎用的能力が重要となります。本ワークシートでは，いま一度自分を見つめ直し，自己理解を深めさせましょう。そして，自分に合った進路先を見つけられるよう，友人や保護者からアドバイスがもらえるとより進路選択へのモチベーションが高まります。

■「主体的・対話的で深い学び」へのポイント

○ 本人が記入したポイントやまわりの意見は進路相談の資料として活用しましょう。
○ 相手のことを考えてアドバイスできるように意識させましょう。
○ 拙速に進路決定を促すのではなく，本人やまわりが納得できる結論に導けるような助言をしていきましょう。

■「主体的・対話的で深い学び」へのポイント

○ 事前の活動が大切になります。「自分から見たよい点」「保護者から見たよい点」はていねいに記入させましょう。
○ 自分のよい点です。遠慮せずにハッキリと主張し共有させてください。
○ 相手のことを考えてアドバイスできるように心がけさせてください。
○ 拙速に進路決定を促すのではなく，本人やまわりが納得できる結論に導けるようていねいに考えさせましょう。

■評価のポイント

○ 将来に向け自分の興味・関心や能力，個性や適性を生かした進路選択の仕方を理解しているかが大切という点を，しっかりと考えさせましょう。
○ さまざまな方法を活用して収集した情報を的確に判断し，自己理解を深めさせましょう。自分の知らない自分が見えてきます。
○ 自分を正しく理解するため，積極的にまわりの意見に耳を傾けさせましょう。家族や友人はあなたの味方だと理解させましょう。

■こんな時間と接続したら……

○ いままでもたくさんのふり返りや自己理解に努めてきました。本ワークシートもこの後の進路先最終選択のポートフォリオになります。ぜひ活かしてください。

「自分」を見つめ自分に合った進路を選ぶにはどうしたらよいだろう

3年＿＿＿組＿＿＿番　氏名＿＿＿＿＿＿＿＿＿＿＿＿＿＿＿

1　進路選択にあたりチェックするポイントをまとめてみよう。

	①自分から見たよい点	②友人から見たよい点	③保護者から見たよい点
興味・関心			
学習			
性格・行動			
健康・体力			
学校生活			
将来の夢			

2　進学について先生や友人からもらったアドバイスを書いておこう。

将来を見通した進路選択（1）

■活動のテーマ／将来を見通した進路選択について考えよう

1　題材設定の理由

■指導観

　進路選択にあたっては，自分の個性や適性についての正しい理解と，進路先に関する多くの情報収集が必要である。友人がどうしてその職業に就きたいのかという進路選択の過程を共有することは，自分を見つめ直すよい機会となる。また，高校進学等の中学卒業後すぐの進路ではなく，大学の入試制度等の話など，もう少し先の進路情報を得ることで，より将来を見通した進路選択をできるようにさせたい。

■題材観

　小中学校におけるさまざまな学習は，将来の社会生活をよりよく生きるために必要不可欠なものである。進路選択をするにあたって，自分の個性や適性の理解に加えて，将来の生活を見通した計画を立てることも大切な要素である。中学校卒業後の長い道のりを見据えた進路選択をするために，この題材を設定した。

■指導の背景等

　進路選択には，家族の協力と理解が必要不可欠である。また，選択の過程では，教師や塾の先生，兄姉等さまざまな大人がかかわり相談にのってくれるに違いない。本時ではそのような選択過程にも注目し広い視野で進路選択に向き合わせたい。

2　本時の活動テーマ

> 将来を見通した進路選択について考えよう

3　目指す生徒の姿

■キャリア教育の視点で
・高校進学後の進路情報等を通して，長期的な視点で進路選択を意識できる生徒
■特別活動の視点で
・家族や多様な大人と連携・協力し，ひとつの方向性を導き出せる生徒

4　本時の評価規準

長い将来を考えた 進路選択の **知識・技能**	長い将来を意識し 進路選択を進める **思考・判断・表現**	将来を見通した進路選択を イメージする主体的な **態度（主体性）**
●高校等の卒業後を見通した進路の選択とはどのようなものか理解している。	●積極的に話合いに参加し，将来を見通した進路の選択について考えている。	●将来を見通し，自分に合った進路を考えようとしている。
キャリア教育の評価の視点／評価規準から確認できる基礎的・汎用的能力		
□人間関係形成・社会形成能力 □課題対応能力	□キャリアプランニング能力 □課題対応能力	□自己理解・自己管理能力

5　展開

（1）　事前の活動と指導

活動内容（活動の場面等）	指導上の留意点
●保護者や身近な人に，進路選択をしたときの気持ちや理由，進路変更をしたことがある場合にはそのときの気持ちや理由をインタビューする。（家庭学習）	●インタビューした内容は，学級通信で配信し，生徒の意識を高めておく。

（2）　本時の展開

	生徒の活動（学習内容と活動）	指導上の配慮事項（○）と評価（※）
導入	1　職場体験等の経験を思い出し，将来なりたい職業を，小集団内で伝え合う。 ●　本時の活動テーマを把握する。	○　職場体験を思い出させ，将来の職業について本時で考えることを強調する。
	活動テーマ ／ 将来を見通した進路選択について考えよう	
展開	2　食品メーカーで働きたいAくんと，漫画の仕事にかかわりたいBさんの記述を読み，2人がなぜその進路先を選んだのかを確認する。（『中学生活と進路』P52） 3　将来を見通した進路の選択とはどのようなものか小集団で話し合う。 4　大学入試改革等の情報について知る。 5　将来を見通し，自分に合った進路を考える。	○　進路先を選ぶ理由は，人それぞれであることをおさえる。 ※　将来を見通した進路の選択とはどのようなものか，自分の考えを小集団内でしっかりと述べることができる。【理・管】【キャ】 ○　2020年度から変わった大学の入試制度も含んだ高大接続改革についてふれる。 ○　高大接続改革に関する資料を用意する。 ○　『中学生活と進路』P53を参照する。 ○　グローバルな視点，コミュニケーション，主体性，傾聴，プレゼンテーション等の力が必要であることを知らせる。 ○　高校等卒業後や，大学情報など，高校等の先を見据えて，進路を選択することができるようにする。
まとめ	●　本時の内容をふり返る。	※　高校卒業後の進路も含めて，長いスパンで考える必要性を理解できたか。【キャ】【課】【人・社】

（3）　事後の活動と指導

活動内容（活動の場面等）	指導上の留意点
●自分が考えた「将来を見通した進路」について，保護者に伝え，それをもとに家族で話し合う。	●話し合った内容を，学級通信で配信し，他の家庭でも参考にできるようにする。

6　キャリア・パスポートへのつながり

■高校卒業後の進路
■長いスパンでの進路選択

■大学進学も視野に入れた進路選択
■近い将来を考えた進路選択の必要性

■高校での進路も視野に入れたキャリア・パスポートへの反映

7　発展的な学習へのつながり

● ここでの活動の成果は，ワーキングポートフォリオとしてキャリア・パスポートに活きるのはもちろんですが，中3のこの時期での進路選択は，すべての学習について大きなファクターとなります。

将来を見通した進路選択について考えよう

■ワークシートのねらい

　中学校卒業後の進路を決めるにあたっては，将来なりたい職業や大学進学等のビジョンをしっかりと考えさせることが大切です。高校の大学入試指定校制度や AO 入試が広がるなかでとても重要な情報となります。少し先の進路を考えつつも，当然のことですがその進路選択が，自分の個性や適性に合っているのかどうかも考えさせなくてはなりません。そのために，人生の先輩でもある保護者等の進路選択の体験談（その時の気持ちや理由）をインタビューすることで，進路選択の大切さや難しさを感じ取らせることは，生徒の心に寄り添う進路情報となります。

■ワークシート活用のポイント

○ 事前の活動のインタビューが授業成否のカギとなります。各生徒の内容については，事前に確認しておきましょう。

○ 大学入試改革，高大接続改革情報はとても難しい内容になります。教師側で，分かりやすい資料を作成してあげましょう。

○ 『中学生活と進路』にあるさまざまな情報を有効に活用しましょう。

研究者？　保育士？　教師？

食品関係？　スポーツ選手？　公務員？

■評価のポイント

○ 事前の活動について，インタビューしてきたことを小集団でしっかりと発表することができれば授業は盛り上がります。最初に教師がモデリングするのも面白いかもしれません。

○ 後はワークシートの内容より，話し合いが発展的に進むよう評価しましょう。

○ 最後のご家庭からのひと言は，事前の活動でインタビューした方に書いてもらいましょう。

■「主体的・対話的で深い学び」へのポイント

○ 事前の活動でインタビューしてきたことを，一人一人がしっかりと小集団でプレゼンしましょう。

○ 職場体験等の経験を思い出し，将来なりたい職業を，小集団で伝え合いましょう。

○ 小集団での話し合いにうまく参加できていない生徒がいる場合には，役割を与えるなどして活躍できる体制を整えてあげましょう。

■こんな時間と接続したら……

○ 大学入試等にもふれた内容は生徒にとってはじめてだと思います。もちろん全生徒が大学に進学するわけではありませんが，最近の大学事情等について話すのも新しい視点でよいでしょう。

将来を見通した進路選択について考えよう

3年＿＿＿組＿＿＿番　氏名＿＿＿＿＿＿＿＿＿＿＿＿＿＿＿＿＿

＜事前の活動＞

● 保護者や身近な人に，進路選択をしたときの気持ちや理由を，進路変更をしたことがある場合にはそのときの気持ちや理由をインタビューしよう。

＜本時の活動＞

1　職場体験等の経験を思い出し，将来なりたい職業を，グループ内で伝え合おう。

メンバー					
なりたい職業					

2　食品メーカーで働きたいＡくんと，漫画の仕事にかかわりたいＢさんの記述を読み，２人がなぜその進路先を選んだのかを考えよう。【『中学生活と進路』P52 参照】

【Ａくんがその進路先を選んだ理由】

【Ｂさんがその進路先を選んだ理由】

3　将来を見通した進路の選択とはどのようなものだろう。

● 本時の内容をふり返ろう。

● 保護者からひと言。

将来を見通した進路選択（2）

■活動のテーマ／「進路を見つめ直す」とはどういうことなのか考えよう

1　題材設定の理由

■指導観

　中学卒業後の進路選択に向け，自分自身を知る自己理解や進路にかかわる情報活用等，主体的に進路選択を進める能力を培ってきた。前向きに将来を考え自分の進路を切り拓く意欲は，中3の受験期を迎え高くなってきている。しかしながら，多様化する進路環境について，中途退学や不登校等のネガティブな側面にふれることはほぼなかった。キャリア発達の過程がますます多様化するなかで，中途退学のリスクや就職後の進路変更の課題等を理解させ，より自分らしい進路選択について考えることは，キャリア形成の基本でもある。

■題材観

　進路先を選ぶにあたって，自分の個性や適性とともに重要視されるのが，将来の生活とのかかわり方である。その時の気まぐれや，深く考えることをせず短絡的に進路先を選択，決定してしまうと後悔を残すことにもなりかねない。決断しようとしている選択が，将来に描いている職場生活や学校生活に近づくものかどうかを中途退学や進路変更というリカレントの視点から考えさせるために，本題材を設定した。

2　本時の活動テーマ

> 「進路を見つめ直す」とはどういうことなのか考えよう

3　目指す生徒の姿

■キャリア教育の視点で
・自分の個性や適性に合った進路選択をできる生徒
・中途退学や，進路変更の課題等を理解している生徒

■特別活動の視点で
・さまざまな情報を自分を生かすために活用できる生徒

4　本時の評価規準

進路を見つめ直すための **知識・技能**	自分の進路への考えと 進路情報を総合的に考える **思考・判断・表現**	自分の考える進路をより 深く見つめ直す **態度（主体性）**
●中途退学や，進路変更の課題等を理解している。	●多様な進路情報を活用し進路選択について考えている。	●進路情報を活かしながら進路を見つめ直すことができる。
キャリア教育の評価の視点／評価規準から確認できる基礎的・汎用的能力		
□人間関係形成・社会形成能力	□キャリアプランニング能力 □課題対応能力	□自己理解・自己管理能力

5　展開

（1）　事前の活動と指導

活動内容（活動の場面等）	指導上の留意点
●進路変更を決断した経験があるか，もしあるならばそのときどのような気持ちだったかを保護者にインタビューする。（家庭学習） ●ふれあい講演会などで，進路変更を決断したことがある話を聞く。	●インタビューした内容は，学級通信で配信し，生徒の意識を高めておく。 ●進路変更をして成功した例と，成功しなかった例の両方を事前に扱えるようにする。

（2）本時の展開

	生徒の活動（学習内容と活動）	指導上の配慮事項（○）と評価（※）
導入	1　進路変更を決断した先輩の話を読む。 ●　本時の活動テーマを理解する。 ┌─────────────────────────┐ 活動テーマ／「進路を見つめ直す」とはどういうことなのか考えよう └─────────────────────────┘	○　小集団で感想を発表し合う。 ○　進路変更を決断して，効果があったのか逆効果だったのかを判断させる。
展開	2　高校中途退学者の推移とその理由について，グラフを読み取る。 3　中途退学を選んだ，その先を表すグラフを読み取る。 4　働いている人，再入学，編入学者の内訳を見て，気づいたことを発表する。 5　就職後の進路変更にともなう課題を読み取る。 6　上記の内容から，進路選択で，どのような点に気を付けることが大切であるか，小集団で話し合い発表する。	○　中途退学者が５月にもっとも多い点とその理由について，しっかりとおさえておく。 ○　中途退学後の進路から，中途退学をしなければよかったと判断できる点をおさえる。 ○　早期離職などの課題について言及する。 ○　進路変更がプラスにはたらくこともあることを知らせる。 ※　中退や進路変更等の進路情報から自分の進路選択を見つめ直すことができる。【人・社】【課】【キャ】
まとめ	9　本時の内容をふり返る。	○　中退や進路変更等の進路情報の課題を理解し，将来を見通した進路選択をすることが重要であることをおさえる。 ※　自分の進路の見直しに活かすことができる。【理・管】

（3）事後の活動と指導

活動内容（活動の場面等）	指導上の留意点
●将来なりたい職業についてアンケートを実施するなど，将来の目標をしっかりと持てるようにする。（短学活等）	●アンケート結果は，学級通信で配信し，他の家庭でも参考にできるようにする。

6　キャリア・パスポートへのつながり

■中退，進路変更等の実態の理解
■進路先の見直し

■進路情報を活かした進路選択の見直しの過程
■進路情報の取捨選択

■多様な進路情報により進路を見直しながらキャリア・パスポートに反映させる

第三学年

137

将来を見通した進路選択 (2)
「進路を見つめ直す」 とはどういうことなのか考えよう

■ワークシートのねらい

予測が困難な社会状況の変化は,生徒の生き方や進路にも大きな変化を与えています。通信制(ネット活用)高校等の増加,進学先の多様化,依然として生じる中途退学の課題,進路変更の光と影等,生徒を取り巻く環境は大きく変化をしています。そのような進路情報を改めて理解し,自分の進路選択を見つめ直すことは,キャリア形成を確かなものとするために大きな機能を発揮します。

ここでは,中退や進路変更等ネガティブだといわれている課題についても考え,自分の進路選択が悔いの少ないものとなるよう支援してあげましょう。さまざまな進路情報を取捨選択し,自分の進路選択に活かしていくことは,キャリア形成をはぐくむ大きな過程となります。

■ワークシート活用のポイント

○ 中退や進路変更等がすべて否定的に作用するものではないことは知らせておきましょう。
○ それぞれの設問について,小集団を上手に活用し,多様な意見を出させ,回答の参考にさせましょう。
○ 事前の活動におけるインタビューは,保護者のみならず先輩や身近な大人のリアリティある話が,生徒の考えを深めます。

■「主体的・対話的で深い学び」への ポイント

○ 進路選択で,どのような点に気を付けることが大切なのか小集団で話し合わせましょう。
○ 中退,進路変更に関する情報は,話を広げるツールとして用意しておきましょう。
○ 中退,進路変更等でネガティブな話題となったときは,小集団内での多様な意見を拾いましょう。

■評価のポイント

○ 進路選択で,どのような点に気を付けることが大切であるか小集団で話し合えれば,本時の目標はほぼ達成です。
○ さまざまな情報を総合的に活用できる情報リテラシーも評価してあげましょう。
○ 見直すという過程は,進路選択上自分を内面化していくことにつながります。見直しにより,キャリアプランニング能力を深めましょう。

■こんな時間と接続したら……

○ 見直すという過程は,今後のキャリア形成において,ふり返り確かめる意思決定に大きく作用します。具体的な進路選択場面やキャリア・パスポートの記入,中学校生活のふり返り等においても,見直すという過程は十分に機能を発揮します。

「進路を見つめ直す」とはどういうことなのか考えよう

3年＿＿＿組＿＿＿番　氏名＿＿＿＿＿＿＿＿＿＿＿＿＿＿＿

＜事前の活動＞

1　進路変更を決断した経験があるか，もしあるならばそのときどのような気持ちだったかを保護者にインタビューしよう。

＜本時の活動＞

2　高校中途退学者の推移とその理由について，グラフから読み取ろう。

【推移】
【理由】

3　中途退学を選んだ，その先はどうなっているだろうか。グラフから読み取ろう。

4　就職後の進路変更にともなう課題は何だろう。

5　進路選択で，どのような点に気を付けることが大切だろう。

●本時の内容をふり返ろう。

中学3年 ⑩

卒業へのカウントダウン

■活動のテーマ／たくさんの思い出をふり返ってみよう

1　題材設定の理由

■指導観
　生徒が，次なるステップへとスムーズに進むための生活習慣づくりを意識して，さまざまなものに感謝する気持ちを育てるとともに，本活動を通して，新しい生活へ踏み出す姿勢を養いたい。

■題材観
　卒業を間近に控え，中学校3年間のまとめをする時期に，この題材を設定したい。中学校3年間を過ごした校舎に関する思い出や愛着，義務教育最高学年としての生活ぶりなどを確認させるとともに，学級として，あるいは学年としての思い出づくりの計画を立案させることを目標としている。

■指導の背景等
　卒業を間近に控えたこの時期の生徒に残りの日々を充実させ，卒業期のよい思い出づくりをさせたい。そして夢と希望をもってこれからの新しい生活へと向かう意識を高めさせたい。

2　本時の活動テーマ

> たくさんの思い出をふり返ってみよう

3　目指す生徒の姿

■キャリア教育の視点で
・残りの中学校生活を充実させるために，いま何すればよいのか，友人とともに考える生徒

■特別活動の視点で
・残り少ない日々を有意義なものにするための計画を立て，行動につなげようとする意欲を高める生徒

4　本時の評価規準

中学校生活をふり返りまとめる **知識・技能**	中学校生活のふり返りと 新しいスタートにつなげる **思考・判断・表現**	中学校生活への感謝と 新生活への主体的な **態度（主体性）**
●中学校生活をふり返り，これからどのような活動をしたいか話し合っているか。	●新しい生活をはじめるために，いま何をすべきか考え，行動に移そうとしているか。	●中学校生活を積極的にふり返るとともに，新たな生活への意欲を高めているか。
キャリア教育の評価の視点／評価規準から確認できる基礎的・汎用的能力		
□自己理解・自己管理能力	□課題対応能力	□人間関係形成・社会形成能力 □キャリアプランニング能力

5　展開

（1）　事前の活動と指導

活動内容（活動の場面等）	指導上の留意点
●事前アンケートで「卒業前にやりたいこと」を書く。（学活・帰りの会） ●事前アンケートの集計。（学級活動委員会）	●思い出作りではあるが，実現可能なものを考えさせる。

（2）　本時の展開

	生徒の活動（学習内容と活動）	指導上の配慮事項（○）と評価（※）
導入	1　中学校3年間をふり返り，一番印象に残っていることを想起する。 入学式，部活動，修学旅行，職場体験，合唱コンクール，体育祭，3年生を送る会，卒業式　など ● 本時の活動テーマを理解する。	○　当時の思い出を共有し，どのようなことにチャレンジしたか，成功や失敗したことなどをエピソードとする。 ○　写真や動画などがあれば準備する。 ○　学級委員会等を活用し，生徒主体で進める ○　思い出話で盛り上がりすぎないように，時間に注意する。
	活動テーマ ／ たくさんの思い出をふり返ってみよう	
展開	2　導入の内容を参考に「いろいろなことに挑戦した中学校生活をふり返ろう」に取り組む。 3　事前アンケートを参考に，これからどのような活動をしてみたいかを話し合い，決定する。 カウントダウンカレンダー，卒業遠足，アルバムづくり，文集制作，校内清掃，奉仕作業，記念作品　など	○　小集団で話し合わせ，発表させる。 　その際，思い出に残っている場面を具体的に発表させる。 ○　中学校生活をふり返らせることにより，これからの生活に対する見通しを持たせる。 ○　限られた時間のなかで，実現可能なものを考え，決めていく。 ※　思い出作りのプランを考え，実践しようとしているか。【人・社】
まとめ	● 残りの日々をどう過ごすか，自らの考えをまとめる。	○　卒業式を迎える前の心構えや気持ちを考えさせ，残りの日々への自覚を持たせる。 ○　ワークシートQ2，Q3に取り組む。 ※　卒業期の決意を考え，書くことができる。【理・管】【キャ】

（3）　事後の活動と指導

活動内容（活動の場面等）	指導上の留意点
●後輩に向けた「中学3年間でこれだけはやっておいたほうがいい……」を使って，掲示物を作成する。（放課後等） 卒業式を迎える「自分」に手紙を書く。	●学級委員会等を使って作成する。

6　キャリア・パスポートへのつながり

■中学校生活のふり返り
■中学校の思い出づくり
■4月からの新生活に向けて　→　■中学校生活をふり返る過程
■いまの生活を次の生活につなげる過程　→　■ふり返りを次の生活につなげることはキャリア・パスポートの基本的な考えとなる

たくさんの思い出をふり返ってみよう

■ワークシートのねらい

　　卒業までのカウントダウンが始まりました。中学校生活もいよいよクライマックスです。3年間の中学校生活をふり返り，友人との絆を確認するのはこの3年という時間を一生の思い出とするためにとても大切な過程です。それと同時にこの中学校生活を，この先の進路にどう活かしていくか考えることも，今後のキャリア形成に大きくかかわってきます。残りわずかな中学校生活を充実させるため，次の生活にいまを活かすため，本ワークシートに取り組ませてください。中学校生活の最後のキャリア・パスポートを支えてくれるはずです。

■ワークシート活用のポイント

　○ 思い出の詰まったいままでのポートフォリオ等を積極的に活用させましょう。
　○ ワークシート Q2，Q3 については，自分個人の考えを昇華できるよう深く考えさせましょう。

■「主体的・対話的で深い学び」へのポイント

　○ 事前に印象的な出来事やお世話になった人をふり返る資料を準備し，心構えをつくっておきましょう。
　○ 思い出づくりのプランとその実施においては，卒業生等からも情報を得ておきましょう。
　○ 思い出づくりのプランは実施可能かどうかをよく考えさせましょう。結局実現できないのであれば，少し残念な感情を残すことになってしまいます。
　○ 生徒の話し合いが深まるテーマです。話があまり脱線しないよう小集団での活動を有効に使いましょう。

卒業

■評価のポイント

　○ 中学校生活のふり返りを，充実した卒業式を迎えるためのモチベーションに転換させましょう。
　○ 卒業への熱量を盛り上げるきっかけとしましょう。
　○ いまが次の新生活につながっていることを意識させてください。

■こんな時間と接続したら……

　○ キャリア・パスポートの3年間のまとめにつなげ，卒業後の新しい生活に向けての意欲付けにさせましょう。本ワークシートは，そのまま中学校生活最後のまとめとなるキャリア・パスポートに直接的に機能するワーキングポートフォリオとなります。

たくさんの思い出をふり返ってみよう

3年＿＿＿組＿＿＿番　氏名＿＿＿＿＿＿＿＿＿＿＿＿＿＿＿＿

1　いろいろなことに挑戦した中学校生活をふり返ろう。

学級生活	
生徒会活動	
学校行事	
部活動	
友人との出会い	
学習への取組	

2　中学校生活をしめくくる思い出づくりとして，卒業までにやってみたいことを考え，友人と話し合ってまとめてみよう。

3　4月からの新生活のため，いま，何ができるだろうか。

さあ，未来へジャンプ！
■活動のテーマ／未来へ……。キャリア・パスポートをつくろう

1 題材設定の理由

■指導観

ここでは，1・2年生で取り組んだように多様な学びを結びつけ，3年間の中学校での学びや活動をふり返りながら，上級学校等や将来への見通しをもたせ，主体的にキャリア・パスポートを作成させたい。キャリア・パスポートの過程は，キャリア発達の総合的な評価とともに，すべての活動における「学びに向かう力・人間性」の評価にもつながってくる。特に3年生のキャリア・パスポートは，上級学校への提出も視野に入れ具体化されたつながりや，将来を見据えた記述が求められる。中学校生活の学習や生活へのふり返りや意欲の向上，将来の生き方を深めていくための指針等，このキャリア・パスポートは義務教育の9年間の最後の自分を飾るポートフォリオとなる。

■題材観

本時は3年間のキャリア形成のまとめとして位置づけられ，1・2年次のキャリア・パスポートをふり返りながら上級学校等へのモチベーションの高揚へと発展させていくものである。中学校生活3年間の学習面，生活面，その他（部活動等）を想起させ，それを進路先での目指すものにつなげていきたい。いまの自分があるのは，過去のさまざまな出来事や出会い，そして自らの努力があってのことだったことを再認識させ，今後のキャリア形成につなげていく。

2 本時の活動テーマ

> 未来へ……。キャリア・パスポートをつくろう

3 目指す生徒の姿

■キャリア教育の視点で

・中学3年間をふり返りつつ，いまの自分を見つめられる生徒
・上級学校や将来に向けて，自分なりの見通しを持ち意欲を高められる生徒

4 本時の評価規準

中学校生活をふり返り，将来をイメージする **知識・技能**	自分の将来への頑張りどころの **思考・判断・表現**	将来について考え，いまを主体的に生きる **態度（主体性）**
●中学3年間のふり返りや，この先の見通しについてのポイントを理解できる。	●中学校生活をふり返り，自分の努力してきた過程を確認することができる。 ●ふり返りから，自分の将来について考えることができる。	●将来について考え，自分の努力点を中心とした，キャリア・パスポートを作成する。
キャリア教育の評価の視点／評価規準から確認できる基礎的・汎用的能力		
□自己理解・自己管理能力	□人間関係形成・社会形成能力 □自己理解・自己管理能力 □課題対応能力	□キャリアプランニング能力

5 展開

（1）事前の活動と指導

活動内容（活動の場面等）	指導上の留意点
●1・2年次のワーキングポートフォリオをふり返り，中学校生活を想起させておく。（短学活，家庭学習等）	●ワーキングポートフォリオの準備。

（2）　本時の展開

	生徒の活動（学習内容と活動）	指導上の配慮事項（○）と評価（※）
導入	● 　1・2年次の中学校生活をふり返る。 ● 　本時の活動テーマを理解する。	○ 　1・2年次のキャリア・パスポートをふり返る。 ○ 　いままでのワーキングポートフォリオを準備する。
	活動テーマ ／ 未来へ……。キャリア・パスポートをつくろう	
展開	1 　中学校3年生の1年間について努力したところをふり返る。 2 　中学校生活3年間を漢字一字で表現する。 3 　自分の進路について，理由も含めて考える。 4 　進路先で頑張りたいことについて考える。	○ 　1・2年次のふり返りを参考にする。 ○ 　3年生のワーキングポートフォリオを参考にする。 ○ 　1・2年次のキャリア・パスポートをふり返る。 ○ 　理由を意識させて考えさせる。 ※ 　中学校生活をポートフォリオによりふり返る。【理・管】 ○ 　進路について小集団で考えの共有を図る。 ○ 　小集団で共有し相互にアドバイスを送る。
まとめ	● 　進路先での努力点について発表する。 5 　進路先の方にメッセージを考える。	※ 　自分の進路先での頑張りたいところ等について考えることができた。【人・社】【課】【キャ】 ○ 　「どんな自分を見てほしい？」「どんなことを伝えたい？」と考える。

（3）　事後の活動と指導

活動内容（活動の場面等）	指導上の留意点
●進路先への提出。	●進路先には個人が管理して提出する。 ●ガイダンスの機会に活用し，できれば，担任等との相談の機会に手渡しすることにより一読してもらう。

6　キャリア・パスポートのさらなる充実

■文部科学省や各自治体等で示しているキャリア・パスポートのサンプルを使用する場合

●本ワークシートの「中学校生活のふり返り」や「私の進路」「進路先での頑張り」等はキャリア・パスポートの資料として活用する。

●本ワークシートを，そのままワーキングポートフォリオとして活用する。

■学校の状況を考慮し，既成のものをカスタマイズしたり，オリジナルのものを使用する場合

●キャリア・パスポートはキャリア教育を活性化させるものという視点が重要である。

●中学校生活の総括ポートフォリオとして活用する。

●各学年のワーキングポートフォリオとリンクできる構成となっているので，3学年分の比較により，本人の成長等を読み取ることができる。

未来へ……。キャリア・パスポートをつくろう

■キャリア・パスポート（ワークシート）のねらい

　中学校３年生のキャリア・パスポートは，正しく義務教育とその先の高等学校や上級学校等をつなぐ，特別な役割を果たすキャリア・パスポートといえます。小中９年間の学習や学校生活での取組，部活動等での自分の成長過程を再確認することは，次の進路先でのモチベーションや意欲を高めることになります。義務教育で培ったキャリア形成がその先においても，十分に機能しつなげていくために，キャリア・パスポートを有効活用していきましょう。

　また，キャリア・パスポートを次のキャリア形成を促すために機能させていくには，教師の働きかけが必要不可欠です。送り出す側も受け取る側も，より対話的にかかわることにより，生徒一人一人にとって系統的で芯のあるキャリア発達を促進させるものになります。

　生徒の将来に生きて働くキャリア・パスポートとなるために，将来へのエールの意味を込めて思いの詰まったキャリア・パスポートを完成させて上げてください。義務教育の有終の美を飾るためにも。

■キャリア・パスポート活用のポイント

○ 中学１・２・３年生，できれば小学校時代も含めて，それぞれのワーキングポートフォリオが準備できれば，さらに深みのあるふり返りが可能です。

○ 受け取る側の効率等を考えれば，簡潔なキーワードにより表現させた方が効果的です。

■「主体的・対話的で深い学び」へのポイント

○ 個人で自分をふり返り，その内容を共有する。そして，また個人に還る。個と集団の減り張りを明確につけることで，思考の内面化を図ることができます。

○ ４の項目までの活動終了後には，必ず小集団等での相互評価の場面を設定してください。互いを肯定的に励ますことで，思考は深化していきます。

○ １・２年生のキャリア・パスポートを積極的に活用しましょう。そのふり返りが１・２年前の自分を思い出をよみがえらせ，思考にアクセントをつけてくれます。

未来へ！

■評価のポイント

○ キャリア・パスポートの目的を再確認させ，次の進路につながることを理解させましょう。

○ 共有場面での相互評価は，生徒一人一人の自尊感情を高める効果を発揮します。

○ 保護者，生徒の励ましはとても大きな肯定的評価となります。ポジティブに記入してください。

■こんな時間と接続したら……

○ 義務教育最後のキャリア・パスポートです。是非とも次の進路先での生徒理解等に役立ててもらってください。できれば，進路先での出会いでドラマチックに作用するよう，生徒自身の手から，進路先の方に手渡ししてください。「進路先の方への伝えたいこと」は，データや具体的な情報という機能以外に，生徒の内心や考えを伝えるうえで大きく役立ちます。進路先への自分の思いをしっかりと伝えられるよう取る組ませましょう。

未来へ……。キャリア・パスポートをつくろう

_____中学校　氏名_____　の**中学校生活は？**

3年____組____番　　　　　　　　　　　　　**将来は？**

1　中3の1年間をふり返って，自分なりに一番努力したことと、その理由を記入してみよう。

一番努力したこと……

その理由……

2　中学校3年間を漢字1字で表現してみよう。／その理由も記入してみよう。

3　あなたの将来の「進路」について、記入してみよう。／その理由も記入してみよう。

私には将来，　　　　　　　　　という**進路**があります！

その理由……

4　この進路を実現するために，あなたは次の進路先でどんなことを頑張りたいですか。
　　※具体的なものがあれば，下の欄（学習面，生活面，その他）に記入してください。

学習面

生活面

その他

5　進路先の方（高校の先生等）に伝えたいことを書いてください。

● 担任からひと言。

● 保護者からひと言。

しょうがっこう，ワクワク！ドキドキ！
■活動のテーマ／ぼくの，わたしの……？　しょうがっこうでがんばりたいこと！

1　題材設定の理由

■指導観

　小学1年生という発達段階における児童の興味・関心や好奇心のレベルは，人生の最高値といっても過言ではない。何事にも関心を持ち意欲的に取り組むモチベーションの高いこの段階で，小学1年生という発達段階なりの考えにより，小学校への興味・関心や期待，自分の目標等を考えることは，今後のキャリア形成を確立するうえで大きな影響を与える。このタイミングにおいて，キャリア教育の視点を加味しつつ，小学校の生活を考えることは，今後のキャリア発達を促す過程の基盤となる。

■題材観

　どの発達段階においても，先に見通しを持ち目標や完成形をイメージし，計画を立て実践していく能力は，この予測困難な時代を生きていくうえで，必要不可欠となる力である。今後の人生における様々な場面で，先を見通したり，自分なりの目標を立てていくことの必要性と継続性が求められる子供たちにとって，いまの自分なりの目標や努力点を考えていくことは，キャリア形成の基本として積み重ねていくものである。

　また，目標の積み重ねはキャリア・パスポートの骨子ともなり，子供たちのキャリア形成と上級学校のキャリア教育に機能していく。

　本題材により，児童一人一人に希望や目標を持って生きる基本的な意欲や態度をはぐくむことは，「一人一人のキャリア形成と自己実現」育成の基本中の基本でもある。児童の自己実現を図っていく過程のスタートとして本題材の果たす役割は大きい。

2　本時の活動テーマ

> ぼくの，わたしの……？　しょうがっこうでがんばりたいこと！

3　目指す児童の姿

■キャリア教育の視点で
・自分が小学校で頑張りたいことや目標等を考えイメージすることができる児童
・自分が小学校で頑張りたいことをイメージし考えようとする児童

■特別活動の視点で
・自分のよさを生かそうとするとともに，希望や目標を持てる児童

4　本時の評価規準

小学校生活をイメージするための 知識・技能	自分の頑張りたいところを考える 思考・判断・表現	小学校1年の目標を立てようとする 態度（主体性）
●小学校の学習や生活について理解している。 ●小学校の学習や生活についてイメージできている。 ●いままで，自分が頑張ってきたことについて理解できている。	●自分を伸ばすために，頑張りたいことや努力点を考えることができている。 ●小学校で努力したいことを考え，表現できている。	●小学校生活を楽しいものにしようと，自分の頑張りたいことを考えようとしている。 ●自分の好きなことや頑張ってきたことを考え，更に自分を伸ばすための目標を主体的に考えようとしている。
キャリア教育の評価の視点／評価規準から確認できる基礎的・汎用的能力		
□自己理解・自己管理能力 □人間関係形成・社会形成能力	□課題対応能力 □キャリアプランニング能力	□自己理解・自己管理能力

5　展開
（1）　事前の活動と指導

活動内容（活動の場面等）	指導上の留意点
● 入学式，学級開き，登下校等 ・入学後のすべての活動が，児童にとっての小学校と自分を結びつける活動となる。	● 入学後のすべての活動が児童にとってのモチベーションとなるので，ひとつひとつを丁寧に拾い上げる。 ● 各児童の特性について理解を深めておく。

（2）　本時の展開

	生徒の活動（学習内容と活動）	指導上の配慮事項（○）と評価（※）
導入	● 「小学校に入学してワクワク・ドキドキした（うれしかった）ことを発表してみよう」 ● 本時の活動テーマを理解する。 活動テーマ ／ ぼくの，わたしの……？　しょうがっこうでがんばりたいこと！	○ すべての発表を肯定的に捉え評価する。
展開	1 「小学校でがんばりたいことを発表してみよう」 2 「自分が考えたがんばりポイント（がんばりたいこと）を書いてみよう」 ・ワークシートに取り組む。 3 「自分のがんばりポイントを発表しよう」	○ 頑張りたいことを数多く発表させ児童相互に共有させる。 ○ 思い浮かばない児童には，いままで頑張ってきたこと等について発表させる。 ※ 小学校で頑張りたいことが発表できたか。【理・管】 ○ 児童へ個別に指導する。 ○ 書き終えた児童は，絵や色塗り等に取り組ませる。 ※ ワークシートに取り組む。【課】【理・管】【キャ】 ○ 「がんばりポイント」＝「目標」であることを知らせる。（目標の意味等） ○ 必ず相互で評価（拍手等）させる。 ○ 掲示することを周知する。
まとめ	● みんなのがんばりポイント等を聞いての感想を発表する。	○ みんなの「がんばりポイント」を聞いて感じたことを発表させる。 ※ 友だちの「がんばりポイント」が理解できたか。【社】 ○ 担任からの学級担任としての「がんばりポイント」の発表により意識を共有する。

（3）　事後の活動と指導

活動内容（活動の場面等）	指導上の留意点
●掲示により他者と共有する。 ●学級通信等で保護者へ周知する。	●様々な活動場面での個人の「がんばりポイント」による，継続的なふり返り。

6　キャリア・パスポートへのつながり

■小学校の目標
■「がんばりポイント」

■小学校での自分の行動の規準
■1年間の自分の行動の柱
■モチベーションを保つための指針
■自己評価によるふり返りの視点
■入学時の児童の「思い」　など

■1年間のふり返りの基準としてのパーマネント・ポートフォリオへの活用

●年度当初の目標等は各年度の比較において，個人の成長を示すキャリア・パスポートの資料となる。

しょうがっこう，ワクワク！ ドキドキ！
ぼくの，わたしの……? しょうがっこうでがんばりたいこと！

■ワークシートのねらい

　4月，さまざまな期待と不安を胸に1年生は校門をくぐります。生まれてこれまで，こんなに「ワクワク，ドキドキ……」したことはないかもしれません。緊張の中にも，1年生なりの希望と期待，やる気と意欲で瞳が輝いています。一生のうち一番モチベーションの高い「いま」なのかもしれません。このタイミングだからこそ，子供たち一人一人に小学校生活でのやる気，決意，自分のがんばりポイント等，ポジティブな意欲を意図的に意識させましょう。

　そんなワークシートを工夫しつつ，掲示等により継続的に意識させることで，児童にとってポートフォリオとして機能し，キャリア・パスポートの1ページ目を飾ることになるでしょう。

おべんきょう　がんばる！

サッカー　がんばろう！

給食　たのしみ～！

■ワークシート活用のポイント

○ 自分の名前を表題に記入するだけで，モチベーションは上がります。

○ とにかく，児童一人一人の小学校で頑張りたいところを「文字」に具体化させましょう。
　▶「文字」や「文章」にすることで，抽象化されている思いが具体化されます。

○ できれば，達成度を測ることができる具体的目標を！
　▶ 学年を追っての比較により成長が見られます。

○ イメージを深めるために，「絵」にしよう。
　▶「絵」にすることで，目標のイメージが明確となり，決意がさらに膨らみます。もちろん時間調整にも活用してください。

■評価のポイント

○ まずは，「書けたかどうか？」が大切。内容は児童の発達段階なりでかまいませんが，自分の思いを固めて書き入れるということを優先させましょう。そして，無条件にほめてあげてください。

○ 絵やビジュアルはこだわりませんが，児童によってはこだわることもあるでしょう。その児童により描かせてください。

○ 保護者からのコメントがいただけるのであれば，最高の励ましを！

○ また，時期をおいてほめることがあったときに，ワークシートにふれながらほめてあげると，より効果的です。

■「主体的・対話的で深い学び」へのポイント

○ 指導案の展開1・3の場面による発表では，なるべく多くの児童に発表させましょう。

○ 他の児童の発表は，間接的なモデルとなるので，上手く拾って活用してあげましょう。

○ 個別指導では，多くの励ましを心がけてください。

○ 最後の担任による「がんばりポイント」の発表は，児童に学級経営を意識させるポイントになります。(指導案の(2)展開の前に行い，モデリングとしても活用可能です。)

■こんな時間と接続したら……

○ その児童をほめるタイミングで，このワークをふり返って活用しましょう。

○ 学期はじめ，学期末等のふり返り等で活用しましょう。

○ この1年間に目指したものの柱として，キャリア・パスポートと接続させましょう。

しょうがっこう，ワクワク！ ドキドキ！

めあて／＿＿＿＿＿＿＿＿＿＿＿＿＿＿さんの，

しょうがっこうで，がんばりたいこと！

1 がんばりたいこと。

2 がんばりたいことを，えにしてみよう。

3 ご家庭の方から，あたたかな励ましを！（お子様が読めるように，ご記入ください。）

小学2年
②

3年生に向けて！

■活動のテーマ／3年生に向けて，いまできることを考えよう

1 題材設定の理由

■指導観

　低学年の児童は，何に取り組むにも，好奇心旺盛で意欲や関心が前面に表れる発達段階である。この時期に様々な体験活動を通してできるようになったことを増やし，自信をもたせて活動する楽しさを味わわせたい。これまでの学校生活を通して，学習や行事などで目標をもって一生懸命に取り組むことができるようになっている。また体験を通して努力することの意味を理解するようにもなっている。そのうえでさらに，自分のなりたい姿を目指して，その目標達成への具体的な方法を考える力をつけさせたい。

■題材観

　3年生に向けての具体的な目標をもち，達成方法を考えることは，将来への期待をもたせることにつながる。本題材は，目指す3年生になるために「いま，できること」を意識し，将来に対し希望や目標をもって生きる意欲や態度を形成するために設定している。3年生との交流行事や生活科のまち探検などの経験をもとに，学習の対象や場を広げながら3年生の1年間を想起して，自分の得意なことや経験したことをふり返り，自分のよさや可能性に気付かせるとともに，自分たちの成長について確認し，友人と共有できるようにする。

2 本時の活動テーマ

> 3年生に向けて，いまできることを考えよう

3 目指す児童の姿

■キャリア教育の視点で
・自分のよさを見つけ，よりよく生きていくために，いまできることに取り組むことができる児童

■特別活動の視点
・自分の目標を持ち，その実現に向けて努力しようとする児童

4 本時の評価規準

なりたい小学校3年生をイメージするための**知識・技能**	自分のいまできることを考える**思考・判断・表現**	小学校3年生の目標を立てようとする主体的な**態度（主体性）**
●3年生に向けて見通しを持つことの大切さ，目標を達成するための方法を理解している。 ●2年生で頑張ったことをふり返ることができる。	●3年生に向けての目標を達成するために，日常生活などでいまできることについて考えながら，小集団で話し合うことができる。 ●話合いを受け，なりたい3年生について考え判断し，協力して実践することができる。	●自己の生活上の問題に関心を持ち，進んで日常の生活や学習に取り組もうとしている。
キャリア教育の評価の視点／評価規準から確認できる基礎的・汎用的能力		
□課題対応能力	□人間関係形成・社会形成能力 □自己理解・自己管理能力	□自己理解・自己管理能力 □キャリアプランニング能力

5 展開
（1） 事前の活動と指導

活動内容（活動の場面等）	指導上の留意点
●アンケート調査をする。 ●3年生との交流会。	●題材について，関心をもって取り組めるように事前に予告しておく。 ●児童の意識や状況を確認しておく。 ●3年生との交流を通して，3年生になることで新しく取り組むことは何かを考えさせる。

（2） 本時の展開

	生徒の活動（学習内容と活動）	指導上の配慮事項（○）と評価（※）
導入	● いままでの活動・行事をふり返り，アンケート結果をもとに，3年生に向けての学級の思いを知る。 ● 2年生でできるようになったことをイメージマップでふり返る。 ● 本時の活動テーマを理解する。	○ いまと3年生への将来のつながりを意識しつつ，3年生への課題をつかめるようにする。 ※ 2年生についてふり返ることができたか。【課】
	活動テーマ ／ 3年生に向けて，いまできることを考えよう	
展開	1 3年生になると，どのような学習や行事などがあるかを考える。 2 自分のなりたい3年生を想像し，それに向けていまできることを小集団で話し合う。 3 取り組めることを出し合い，学級全体で共有する。	○ 3年生との交流会を思い出させる。 ○ アンケート結果を例にして再度考えさせる。 ○ 黒板を使って分類し，考えを見えやすいようにする。 ※ 3年生に向けていまできることを，共有できている。【人・社】【理・管】
まとめ	● 3年生に向けて頑張ることを決める。 ● まわりの人と自分の頑張ることを発表する。	○ 目標に向かって，何を頑張ったらよいかを考え，具体的な考えがでるようにする。 ※ 実践目標を決めて，活動のための見通しを立てている。【キャ】 ○ 一緒に頑張る意識ができるようにする。

（3） 事後の活動と指導

活動内容（活動の場面等）	指導上の留意点
●1週間後に自分の立てた目標についてふり返り，必要があれば修正する。 ●2週間後に最終ふり返りを行う。	●事後にふり返る機会を設け，継続した取組になるようにする。

6 キャリア・パスポートへのつながり

■なりたい自分に向けての目標 ■小学校2年生のふり返り	■残りの小学校生活の行動指針 ■自分自身の行動の柱 ■自己評価によるふり返りの視点 ■3年生への期待と不安　など	■1年間のふり返りの活用 ■3年生での目標立案での活用

●2年生の1年間をふり返り，これまでに経験してきたことや，できるようになったことをキャリア・パスポートに記述させる。

3年生に向けて，いまできることを考えよう

■ワークシートのねらい

　ひとつ学年が上がり，お兄さんお姉さんになった2年生。生活科の学校探検や手作りおもちゃのお祭りなどを通して，1年生とたくさんふれあいました。学校生活に広がりを見せ，できることも増えていきます。そこで，2年生でどのようなことができるようになったのか，その成長を具体的に書き出し明確化してみましょう。そのうえでどのようにその成長を3年生で生かしていけるのかを具体的にイメージできるよう，友だちとの交流を交えながら取り組ませるとよいでしょう。小2の1年間をふり返りつつ，学級全体のつながりを確かめることもできます。

■ワークシート活用のポイント

○ 思考ツールとしてのイメージマップは小学校2年生でも十分に活用できます。日頃の学習においても活用し，自分の考えを深めるツールとして試してみてください。
○ 発達段階に合わせて，視覚的にイメージを広げやすいように，イメージマップを活用します。
○ 頑張りたいことを実践しやすいよう具体的に書くようにしましょう。
○ 自分の立てた目標が実行できそうか1週間，実際に取り組んでみましょう。

■「主体的・対話的で深い学び」へのポイント

○ できるようになったことを，交流を通して他者へ伝えることになり，対話的学びが広がります。
○ 自分のよいところや得意なところを生かすことができるような目標を設定することにより，自信を持って友人に発表できるようにしましょう。

■評価のポイント

○ まずは，自分のことをふり返ることができているかが大切です。そのうえで，自分のよさを生かしてなりたい自分について考えることができている児童は，称賛しましょう。
○ 自分のなりたい3年生の具体的な目標を，自信を持って他者へ伝えられているかどうか，観察しましょう。

■こんな時間と接続したら……

○ できるようになったことを自分なりに整理し，キャリア・パスポートの資料にしましょう。
○ 3学期の学習発表会等で「こんな3年生になりたい」ことを児童一人一人に発表させましょう。

3年生に向けて！

めあて／3年生にむけて，いまできることを考えよう

2年____組____番　名前_____

1　2年生でできるようになったことを，イメージマップに書いてみよう。

できるように
なったこと

2　3年生にむけて，いまがんばりたいことをかきましょう。

3　3年生に向けて　レベルアップ週間

【めあてをたっせいできたかな】　　よくできた◎　できた○　もう少し△

／ （　）	／ （　）	／ （　）	／ （　）	／ （　）

ふりかえり

_____

_____

_____

③ おそうじ大すき！
■活動のテーマ／そうじをレベルアップしよう

1　題材設定の理由

■指導観

　教育環境の保持，安全・安心の理解，社会参画意識の醸成，働くことの意義の理解等，清掃活動における教育的機能はとても広い。特に働くことを通して，自分が目指す姿について話し合い，目標に向かって実践を進めていくことは，小学校中学年において指導の重点として挙げられている。自分の役割を果たすことの意味や大切さについて考え，最後までやり遂げ，いまの学びが将来につながることを知り，主体的に多様な活動に取り組める力をつけさせたい。

■題材観

　社会参画意識や働くことの意義について考え，社会的自立につながるキャリア形成を積み重ねていくために，清掃等の当番活動はとても大きな機能を発揮する。特に本題材の「清掃」については，清掃時間内は話をせずに，協力して掃除をしようとする等の児童の意欲的態度が見られる。その一方で，清掃終了後はまだゴミが残っていたり，清掃用具が整頓されていなかったりして，話さなければよいという雰囲気が先行してしまい，本来の清掃の意義が薄れてきてしまっている傾向にある。

　自分の掃除に対する考えや取組をふり返り，掃除をする意義について考えることで，友人と協力して学級や学校のために働くよさや自分の役割を果たす大切さに気づき，これからの掃除について自分なりのめあてを設定し，実践しようとする姿を育てたい。

2　本時の活動テーマ

> そうじをレベルアップしよう

3　目指す児童の姿

■キャリア教育の視点で

・働くことの大切さや自分の役割がわかる児童

■特別活動の視点で

・掃除をする意義を考え，自分のめあてを決めて取り組める児童

4　本時の評価規準

働くことに対する **知識・技能**	働くことの意義や 自分の頑張りたいことを考える **思考・判断・表現**	自分の仕事に対して責任をもち， 最後までやり通そうとする **態度（主体性）**
●掃除に取り組む意義・目的を理解している。	●いままでの自分をふり返り，掃除をする意義を考えることができる。 ●自分のめあてを決めて取り組むことができる。	●掃除をする意義を考え，自分なりのめあてを決めようとしている。
キャリア教育の評価の視点／評価規準から確認できる基礎的・汎用的能力		
□キャリアプランニング能力	□自己理解・自己管理能力 □課題対応能力	□自己理解・自己管理能力 □人間関係形成・社会形成能力

5　展開

（1）　事前の活動と指導

活動内容（活動の場面等）	指導上の留意点
●掃除後の反省会。 ●掃除に関するアンケート実施。（短学活）	●アンケートに答え，掃除について考えようとしている。

（2）　本時の展開

	生徒の活動（学習内容と活動）	指導上の配慮事項（○）と評価（※）
導入	● アンケートや写真から掃除に対するこれまでの取り組み方について気づいたことを発表する。 ● 本時の活動テーマを理解する。	○ 写真や事前にとったアンケートから，掃除について自分たちの学級がどのように考えているのかを把握する。 ○ 掃除が必要な理由を考えさせる。
	活動テーマ／そうじをレベルアップしよう	
展開	1 なぜ清掃をするのか考え，その意義を考える。 ・自分たちが使っている場所は自分たちできれいにするのが当たり前だから。 ・後から使う人のため。 ・きれいになると，気持ちがよいから。 ・みんなできれいにすると，気持ちがよいから。 2 清掃の意義を理解し，これからどんな取組ができるか話し合う。 ・もくもくと清掃をする。 ・時間いっぱい掃除する。 ・すみずみまで掃除する。 ・後片付けまでしっかりやる。	○ 資料を提示して，より多角的に考えられるようにする。 ○ 自分の考えをワークシートにまとめる。 ○ まず個人で考えさせ，その後ペアトーク，グループトークへと発展させ，考えを交流させ，深めさせる。 ○ 小集団ごとに話し合い，出た意見をイメージマップにまとめ，発表させる。 ※ 清掃の目的・意義を理解することができたか。【キャ】 ○ 「展開」の段階で話し合ったことをもとに考えさせる。 ○ ペアで相談したり，全体で共有したりする。 ※ 具体的な行動目標を考えているか。【理・管】【キャ】
まとめ	● これからの清掃の取組について，「なりたい自分」を考え，自分なりのめあてを立てる。	○ 自分のめあてを決め，カードに記入する。 ○ めあてを紹介し合い，その目標や方法で取り組めるか，見直す時間を設ける。 ○ 何人かに発表させて，実践への意欲を高めさせる。 ※ 自分なりのめあてを決めて取り組もうとしているか。【理・管】【人・社】

小学校

（3）　事後の活動と指導

活動内容（活動の場面等）	指導上の留意点
●掃除の後の反省会を通しての自己評価（個人・小集団）とふり返り。 ●めあての達成への意欲の向上を目指した「そうじレベルアップ週間」の設定。	●協力して清掃に取り組んでいる児童への積極的な称賛と，児童同士が称賛し合う場の設定。 ●目標の達成状況をふり返る時間の確保。

6　キャリア・パスポートへのつながり

■清掃をレベルアップしようとする過程
■清掃への取り組み
■いままでのふり返り

■清掃をレベルアップしようとする過程
■具体的なめあてを設定する過程

■自分の実践を記録に残すためのキャリア・パスポートの活用
■互いの役割や役割分担の必要性の深い理解

157

おそうじ大すき！
そうじをレベルアップしよう

■ワークシートのねらい

中学年の仲間入りをした３年生。協力して活動することにも慣れ，学びや活動の幅も広がります。また，自我が芽生え，協働のなかでも自分と他者を比べるようになります。この活動では，自分の目標をより具体的に表現することができるよう，掃除の意義をしっかりと考えさせてからめあてを書くようにしましょう。また，期間を決めて取り組み，自己評価をすることにより児童の達成感の高まりにつなげましょう。

■ワークシート活用のポイント

○ がんばりたいことを実践しやすいよう具体的に書くようにしましょう。
○ 自分の立てた目標が実現できそうか１週間，実際に取り組んでみましょう。

そうじをがんばることは，自分たちの生活をよくしていくんだね

■「主体的・対話的で深い学び」へのポイント

○ 話合い活動を通して，自分の考えを広げましょう。
○ 互いのよさを認め合いながら，励まし合ったり，友人にアドバイスしたりするなどして，実践意欲を高めていきましょう。

■評価のポイント

○ まずは，「なぜ掃除をするのか」という清掃の意義を理解しているかどうかが大切です。
○ 清掃の取組に対する具体的な目標を，自信を持って他者に伝えられているかどうか，観察しましょう。
○ そうじのレベルアップ週間やその後の清掃活動で，しっかり実践できているか，評価してあげるのが重要です。

ぼくはこの方法で努力をして，人のためにがんばっていきたい！

■こんな時間と接続したら……

○ 学級の当番活動などの目標を立てるときにつなげましょう。
○ 学級改善等，学級のふり返りに積極的に活用していきましょう。
○ 家庭や地域での奉仕活動と関連させ，勤労観を養っていきましょう。

おそうじ大すき！

めあて／そうじをレベルアップしよう

3年＿＿＿組＿＿＿番　名前＿＿＿＿＿＿＿＿＿＿＿＿＿＿＿＿

1　なぜそうじをするのだろう。

2　自分のそうじのめあて

3　そうじレベルアップ週間！
【めあてをたっせいできたかな】　　　よくできた◎　できた○　もう少し△

／（　）	／（　）	／（　）	／（　）	／（　）	／（　）

ふりかえり

＿＿＿＿＿＿＿＿＿＿＿＿＿＿＿＿＿＿＿＿＿＿＿＿＿＿＿＿＿＿＿＿

＿＿＿＿＿＿＿＿＿＿＿＿＿＿＿＿＿＿＿＿＿＿＿＿＿＿＿＿＿＿＿＿

＿＿＿＿＿＿＿＿＿＿＿＿＿＿＿＿＿＿＿＿＿＿＿＿＿＿＿＿＿＿＿＿

高学年に向けて！
■活動のテーマ／高学年に向けて，いま，できること

1 題材設定の理由

■指導観

「自分の持ち味や役割を自覚できるようにすること」は中学年のキャリア発達段階においてはぐくまなくてはならない資質・能力である。そのためには，「自分のよさを進んで活動にいかそうとする実践的態度を育てること」が必要であるため，「自分のよいところを見つけること」は自己理解の基本である。また，「友人のよいところを認め励まし合ったりすること」は，自己のキャリア発達を促すだけでなく，人間関係形成・社会形成能力をはぐくみ，キャリア形成の奥行きを広げることになる。

したがって「自他のよさに気付き，認めること」は集団づくりの基本とも言える。高学年へと向かうこの段階において，自分自身の可能性と向き合い，他者とのかかわりを見つめなおすことは，自己理解・自己管理能力，人間関係形成・社会形成能力を中心とした基礎的・汎用的能力の育成に大きくかかわるため，今後のキャリア形成においても大きな意味を持つものである。

■題材観

なりたい自分に向けて「具体的な目標」や「いま，できること」を考え，努力を積み重ねていくことは，どのキャリア発達段階においても大切な学びの姿勢である。4年生の発達段階として，年度当初になりたい自分の姿を設定はしたものの，具体的な姿をイメージできている児童は少なく，当然そのための具体的方策を描けている児童も少ない。そこで，なりたい自分を設定する際に，憧れの人をイメージすること，つまりキャリアモデルを設定することは児童にとってリアリティを高め，実現への具体性を高めるものとなる。

2 本時の活動テーマ

> 高学年に向けて，いま，できること

3 目指す児童の姿

■キャリア教育の視点で
・なりたい自分の姿を具体的にイメージし，いまできることを考えることができる児童
■特別活動の視点で
・なりたい自分に近づくために必要なことを考えようとする児童
・自分を生かしながら，目標を設定できる児童

4 本時の評価規準

5年生になった自分の姿をイメージし，いま必要なことを考えるための **知識・技能**	なりたい自分に近づくために 必要な行動を考える **思考・判断・表現**	なりたい5年生に向けて 自らをよりよくしようとする主体的な **態度（主体性）**
●なりたい5年生に向けて充実した生活を集団で共有し，実現することの大切さについて理解している。 ●なりたい5年生の姿をイメージできている。	●日常生活や学習のなかでできることを話合い，自分に合ったよりよい目標について考えている。 ●自分にあったよりよい解決方法を判断し，表現できている。	●高学年への進級に関心をもち，自分に合った日常生活の送り方や学習方法を実践しようとしている。
キャリア教育の評価の視点／評価規準から確認できる基礎的・汎用的能力		
□自己理解・自己管理能力 □課題対応能力	□人間関係形成・社会形成能力 □キャリアプランニング能力	□課題対応能力

5 展開
（1） 事前の活動と指導

活動内容（活動の場面等）	指導上の留意点
●本題材の流れを知る。 ●アンケート調査を行う。 　・自分が成長した点といまの課題を中心にふり返る。	●アンケートにおいて年度当初に設定した「なりたい自分」の視点でもふり返りができるようにキャリア・パスポートを活用する。

（2） 本時の展開

	生徒の活動（学習内容と活動）	指導上の配慮事項（○）と評価（※）
導入	● 自分たちのアンケート結果を知り感想を発表する。 　・自分たちのアンケート結果 　・現5年生のアンケート結果 ● 本時の活動テーマを理解する。	○ アンケート結果を事前に掲示し，活動テーマを意識させる。 ○ 大変さを乗り切る力が必要であることを理解させ，課題を持たせる。
	活動テーマ ／高学年に向けて，いま，できること	
展開	1　なりたい5年生について考える。 2　いまからできることにについて考える。 3　なりたい5年生に向けて，いまから取り組むことを，友人の意見を参考に考える。	○ 思いつかない児童には事前アンケートから，現5年生の姿を想起させ，考えやすくする。 ※ なりたい5年生の姿をイメージできている。【理・管】【課】 ○ 記入例を準備し，取り組みやすくする。 ○ どんな5年生になりたいのか決め，そのために必要なことを考えている。 ○ 話合いにより，一人一人の考えを共有する。 ※ なりたい5年生に向けて友人とかかわり合いながら，実現することの大切さについて理解している。【人・社】 ○ めあてが明確になるように促す。
まとめ	4　5年生に向けて自分が頑張ることを決める。 　・ワークシートQ3の記入。 ● 自分の頑張ることを発表し合う。 ● 5年生からのメッセージビデオを見る。	○ 5年生に向けて一人一人が努力することを具体的に意思決定できるようにする。 ○ 実際に5年生が感じたことから，自分の取組について意欲を高めさせる。 ○ 友人の意見を参考にしながら，何を頑張るのか具体的にめあてを決める。 ※ 高学年への進級に関心をもち，自分に合った日常生活の送り方や学習方法を実践しようとしている。【課】

（3） 事後の活動と指導

活動内容（活動の場面等）	指導上の留意点
●具体的に実践する。 ●目標の加除修正を行う。 ●定期的なペア・小集団によりふり返る。	●目標に向けて努力している児童を積極的に称賛し，学級通信等で紹介する。 ●自信につなげるために，ペア・小集団の編成を一定のものとしない。

6 キャリア・パスポートへのつながり

■なりたい自分に向けての目標 ■自分の生活のふり返り	■今後の小学校生活の行動指針 ■他者とのかかわりと自分のよさを生かした行動の柱 ■よりよい自分に近づくための方策設定 ■高学年になる自分への期待と不安　など	■1年間の自分の努力点のふり返りの規準 ■小学5年時における動機付けを高めるために活用

高学年に向けて，いま，できること

■ワークシートのねらい

中学年から高学年への進級は，児童会活動等を含め小学校生活の大きな節目となります。高学年進級への意欲の向上を図り，行動の具体性を高められるよう，本ワークシートを活用してください。自らの成長のふり返りや，上級生からのアドバイスを活用し，高学年の意義や役割を深く考えることができるようにしましょう。

■ワークシート活用のポイント

○ 本ワークシートのポイントは「いま，できること」を考えさせることです。話し合いやペア・トーク等の共有活動でも構いませんので，児童一人一人に明確な「いま，できること」を考えさせてください。

○ 自分の立てた目標に向けて1週間，実際に取り組ませましょう。

○ 保護者からコメントをもらうと，よりいっそう児童の励みになります。

■「主体的・対話的で深い学び」へのポイント

○ 自分のよさを認め，お互いにそのよさを認め合うことが，自信につながり，後の自主的な集団生活にもつながります。学校生活をふり返り，どんなことを頑張り，できるようになってきたのかを考えさせましょう。

○ グループワークを取り入れ，多様な意見を自分の意見と比べながら聞き，考えを広げて自己決定できるよう，思考ツールやめあてカードを使用しましょう。

高学年は

学校のリーダー！

児童会長

■評価のポイント

○「いま，できること」を意識しながら，日々の生活を送っているのかを見届けましょう。

○ 高学年について考え，いまからできる具体的なめあてを決定し，進んで実践する姿を称賛しましょう。

■こんな時間と接続したら……

○ 4年生をふり返って，自分のよさを生かすことができるような5年生のめあてをキャリア・パスポートに記述しましょう。

○ 学年末の集会活動などで「なりたい5年生」について児童一人一人が発表すると，よりモチベーションが高まります。

高学年に向けて！

めあて／高学年に向けて，いま，できること

4年＿＿＿組＿＿＿番　名前＿＿＿＿＿＿＿＿＿＿＿＿＿＿

1　あなたが考える５年生のイメージを書きましょう。

2　あなたはどんな５年生になりたいですか。

3　こんな5年生になりたい! そのためにいまがんばることを書きましょう。

4　1週間取り組んでみよう。

いつもいしきして行動できた◎　いしきして行動できた○　あまりいしきして行動できなかった△

／（　）	／（　）	／（　）	／（　）	／（　）

ふりかえり

なりたい自分に向けて！
■活動のテーマ／いままでの自分をふりかえろう

1 題材設定の理由

■指導観

　高学年のキャリア発達課題は「①自分の役割や責任を果たし，役立つ喜びを体得する。」「②集団のなかで自己を生かす。」「③社会と自己のかかわりから，自らの夢や希望をふくらませる。」の３点である。つまり，社会とのかかわりをもちながら，失敗を恐れず挑戦し，やりぬき，夢や希望を広げていくことが大切だと言い換えることができる。この観点から，これまでの体験をふり返り，「挑戦し，やりぬいたこと」に目を向けることで，自己の成長を確認し，自らの自信につなげていくことを目指したい。

■題材観

　自らの体験をふり返り，いまの自分となりたい自分を比較し，それに向けて，ねばり強く取り組んでいく力は，「学びに向かう力・人間性等」の資質・能力にもかかわるものである。その力は先の見えない予測困難な時代であっても，見通しをもち，計画性をもって取り組んでいく力等と相乗効果を生み，生きる力へとなっていく。また，R-PDCAサイクルをはじめとした考え方を体験から学ぶことは「学び方を学ぶ」という点からみても重要であろう。

　本題材により，自らの体験をふり返り，一歩踏み出した挑戦や取組を通して，学校・家庭・地域それぞれの社会のなかで役に立った喜びを児童自らの自信へとつなげることで，「なりたい自分」という近い将来への自己実現を図っていく。

2 本時の活動テーマ

> いままでの自分をふりかえろう

3 目指す児童の姿

■キャリア教育の視点で

・自分のよさや成長に目を向け，なりたい自分といまの自分を比較しながら目標を考えることができる児童

■特別活動の視点で

・自分に合った目標を立て，他者と協働して目標の達成を目指そうとする児童

4 本時の評価規準

近い将来をイメージし，いま必要なことを捉えるための**知識・技能**	過去の自分を肯定的に捉え，現在・未来の自分を想像する**思考・判断・表現**	なりたい５年生に向けて自らをよりよくしようとする主体的な**態度（主体性）**
●これまでの生活がいまの自分に深く結びついていることを理解している。 ●これからの生活となりたい自分の結びつきについてイメージできている。 ●他者とのかかわりの充実がよりよい自分を目指すためにも必要だということを理解している。	●互いの課題について話合いを通して共有し，深めることができている。 ●自分にあったよりよい解決方法を判断し，表現できている。	●最高学年に向けて自らの生活に関心をもち，自分に合った日常生活の送り方や学習方法を計画・実践しようとしている。
キャリア教育の評価の視点／評価規準から確認できる基礎的・汎用的能力		
□キャリアプランニング能力 □自己理解・自己管理能力	□人間関係形成・社会形成能力 □課題対応能力	□課題対応能力

5　展開
（1）　事前の活動と指導

活動内容（活動の場面等）	指導上の留意点
●アンケート調査を行う。 ・10月までの半年間を自分が成長した点を中心にふり返る。	●年度当初「なりたい自分」について５段階で目標を立て，理由も記入しておく。 ●アンケートにおいて年度当初に設定した「なりたい自分」の視点でもふり返りができるようにキャリア・パスポートを活用する。

（2）　本時の展開

	生徒の活動（学習内容と活動）	指導上の配慮事項（○）と評価（※）
導入	● アンケート結果をふり返り，学級の実態を知り，課題を見つける。 ● 本時の活動テーマを理解する。 **活動テーマ ／いままでの自分をふりかえろう**	○ 事前のアンケート結果を掲示し，本時の学習への関心を高められるように支援する。
展開	1　「なりたい自分」を確認し，「いまの自分」と比較する。 2　「なりたい自分」と「いまの自分」の差から自分の課題を考え，めあてをつくる。 3　お互いの課題を共有し，改めて自分のめあてを考える。	○ 年度当初に決めた，なりたい自分を改めてふり返り，矢印でプロットさせる。 ○ いまの自分について考え，その位置を矢印で評価する。 ○ 課題に対して，めあてが正対し，具体目標になるよう支援する。 ※ なりたい自分に向けて，自分に合ったよりよい目標について考えている。【理・管】【キャ】 ○ 具体的な課題，めあてから再度，課題とめあての正対性について考えさせる。 ※ 他者とのかかわりがよりよい自分を目指すために必要だということを理解している。【人・社】
まとめ	● お互いのめあてを改めて共有し，今後１週間，実践とふり返りを行うことを知り，実践意欲を高める。	○ これまでの頑張りとこれからの頑張りに目を向けさせ，本時をふり返る。 ※ 自分に合った日常生活の送り方や学習方法を計画・実践・評価・改善しようとしている。【課】

（3）　事後の活動と指導

活動内容（活動の場面等）	指導上の留意点
●目標が達成され，尚且つ継続できている場合は，目標を増やしたり，変更したりする。 ●一定期間を経た後で，ペアや小集団で，互いのめあてに対してのふり返りを複数回実施する。	●目標に向けて努力している児童を積極的に称賛し，学級通信等で紹介する。 ●自信につなげるために，ペア・小集団の編成を一定のものとしない。

6　キャリア・パスポートへのつながり

■なりたい自分に向けての目標
■小学校生活のふり返り

■今後の小学校生活の行動指針
■他者とのかかわりと自他のよさを生かした行動の柱
■自他の成長を肯定的に捉え，認め，伸ばしていく態度
■高学年になる自分への期待と不安　など

■1年間自分の努力点のふり返りの規準
■小学6年生の動機付けを高めるために活用

小学校

なりたい自分に向けて！
いままでの自分をふりかえろう

■ワークシートのねらい

　小学校も高学年となると，近い将来に向けなりたい自分が具体的に想像できるようになり，そこまでのプロセスも徐々にイメージできるようになっていきます。いまの自分の課題に対して，めあてが自己実現のために機能するものかどうか，いま一度考える必要があります。そのために，友だちの力を借りて，自分の考えと共有して合意形成を図る……そんなプロセスの繰り返しが自己理解を深め，なりたい自分をイメージさせることにつながるでしょう。

■ワークシート活用のポイント

○ できるようになったことをアンケートを用いて共有することは，一人一人の成長と集団の成長のかかわりを感じさせることにつながります。写真等を用いて具体的な場面をイメージさせることが有効です。
○ いままでのキャリア・パスポートやワーキングポートフォリオをふり返ることは，過去の自分を見つめることや過去の自分といまの自分の比較から成長を実感することにつながります。
○ いまの自分の位置を書き入れることがその差について考えるきっかけになります。なりたい自分に近づけることが大切であるため，否定的な「足りない部分」という捉え方でなく，肯定的な意味になるようにすることが重要です。
○ ふり返りにおいて，家族や先生などもかかわることで，さらなる実践意欲の向上と自己肯定感の醸成につながります。

■「主体的・対話的で深い学び」へのポイント

○ 「いまの自分」と「なりたい自分」について，交流を通して，友人から意見をもらうことで，自分のよさや課題，また考え方の広がりに気づくことができるようになります。
○ 友人と考えを共有することは，集団において実践の意欲を高め，継続させることにもつながります。

■評価のポイント

○ 自分のよさや成長に目を向け，「なりたい自分」と「いまの自分」を比較しながら考えることができたかを見取りましょう。
○ 自分で立てた目標に対し，友人と声をかけ合いながら取り組ませ，その姿も称賛しましょう。

下級生といっしょに遊んだよ

元気なあいさつが毎日できた！

6年生の○○さんのようになりたいな

■こんな時間と接続したら……

○ 冬休みの生活表などを活用し，家庭との連携に役立ててみましょう。
○ 自分の立てた目標を生かして，学校行事，委員会活動，クラブ活動などで最高学年としての役割を考える資料にしてみましょう。

なりたい自分に向けて！

めあて／いままでの自分をふりかえろう

5年＿＿＿組＿＿＿番　名前＿＿＿＿＿＿＿＿＿＿＿＿＿＿＿

○　この半年でできるようになったこと

1　4月に書いた「なりたい自分」と「いまの自分」を比較してみよう。

○「なりたい自分」はどの位置ですか？（矢印と理由を書いてみよう。）

○「いまの自分」はどの位置ですか？（矢印と理由を書いてみよう。）

残念な自分　1　2　3　4　5　理想の自分

3　なりたい自分に近づくためには，何をすればよいだろう。

なりたい自分に近づくために変えたい，いまの自分の姿　→　そのために　毎日の目標

4　毎日ふりかえろう（◎・○・△）

／　（　）	／　（　）	／　（　）	／　（　）	／　（　）

自分へひと言

（　　　　　　　　　　）からのメッセージ

先生からのメッセージ

中学校に向けて！

■活動のテーマ／中学校に向けて，いまからできることを考えよう

1　題材設定の理由

■指導観

　小学6年生は発達段階において，「進路の探索・選択にかかる基盤形成の時期」の最終段階であり，中学校における「現実的探索と暫定的選択の時期」との橋渡しとして大変重要な役割をもっている。そこで，これまで培った小学校での人間関係を活用し，児童自身が抱えている悩みや不安を友人と共有し合い，同じ悩みを抱えている友人がいるということを理解させたい。児童は中学校生活と小学校生活との相違点に目が向きがちであるが，共通点にも目を向けさせ，自ら進んで行動すれば，中学校でも楽しく充実した時間を過ごすことができるのだと実感させるようにしたい。また，小学校と生活スタイルは大きく変化するものの，中学校生活もいままでと変わらず将来の生活につながっているという，基本的な部分に気づかせたい。

■題材観

　自分自身の可能性を肯定的に捉え，主体的に行動する能力，「やればできる」と考えて行動できる能力は，先が見えない予測困難な時代において，大変重要な意味を持つ。そのなかで，自分自身ができること，やりたいこと，意義を感じることなどは，児童自らが意欲的に活動するうえで必要不可欠な内発的動機となる。

　本題材により，児童一人一人が，希望や目標，そしてこれまで積み重ねてきた努力に対して自信を持てるようにすることで，残りの小学校生活と中学校生活をつなぎ，「一人一人のキャリア形成と自己実現」を促していく。

2　本時の活動テーマ

> 中学校に向けて，いまからできることを考えよう

3　目指す児童の姿

■キャリア教育の視点で

・中学校進学に向けて，具体的な行動目標を考えることができる児童

■特別活動の視点で

・中学校進学に向けて，具体的な目標に向けて実践しようとする児童
・その目標に向け日常生活をよりよくしようとする児童

4　本時の評価規準

中学校生活をイメージし，いま必要なことを捉えるための**知識・技能**	よりよい自分といまの自分を肯定的に考えるための**思考・判断・表現**	中学校に向けて自らをよりよくしようとする主体的な**態度（主体性）**
●小学校の生活が中学校の生活に深く結びついていることを理解している。 ●健全な生活や自主的な学習の仕方についてイメージできている。	●互いの課題について話合いを通して，深めることができている。 ●自分にあったよりよい解決方法を判断し，表現できている。	●残りの小学校生活を含めた今後の生活をよりよいものするため，自分の目標を考えようとしている。 ●よりよい自分を目指すため，目標を主体的に考えようとしている。
キャリア教育の評価の視点／評価規準から確認できる基礎的・汎用的能力		
□キャリアプランニング能力 □課題対応能力	□人間関係形成能力 □課題対応能力	□自己理解・自己管理能力

5 展開
（1） 事前の活動と指導

活動内容（活動の場面等）	指導上の留意点
●アンケート調査を行う。 ●学校や家庭での生活学習態度をふり返る。 　・生活のリズムを含めた活動すべてが本活動に結びつく。	●小学校生活をふり返るとともに中学生に向けて自分に「いま，できること」を考えさせる。

（2） 本時の展開

	生徒の活動（学習内容と活動）	指導上の配慮事項（○）と評価（※）
導入	● アンケート結果をふり返り，学級の実態を知り，課題を見つける。 ● 「中学校がどんなところか知ろう」 ● 本時の活動テーマを確認する。 **活動テーマ／中学校に向けて，いまからできることを考えよう**	○ 個々にとって中学校に対しての印象は異なっているが，本題材が学級の共通の問題として捉えられるようにする。 ○ 中学校生活を紹介する資料を準備する。
展開	1 小学校6年間で頑張ってきたことやできるようになったことをふり返る。 2 目指す中学生の姿を想像し，活かしたい力や伸ばしたい力を話し合う。 3 中学校生活に向けて自分に「いま，できること」を考える。	○ 小学校生活で身に付けた力の中から中学校でも生かせそうな力を見つける。 ○ キャリア・パスポートを活用して，学習面や生活面の観点を与える。 ※ 日々の生活が将来に結びついていることを理解している。【キャ】【課】 ○ 具体的な実践目標になるように，教師が助言する。
まとめ	● 互いに目標を発表し，実践意欲を高める。 ● 本時をふり返り，「中学校についてもっと知りたいと思ったこと」を記入する。	※ 互いの課題について話合いを通して共有し，深めることができている。【理・管】【人・社】 ○ 目標を発表することの価値の共有化を改めて行う。

（3） 事後の活動と指導

活動内容（活動の場面等）	指導上の留意点
●自分で決めた目標を達成するための実践とふり返りを行う。 ●目標が達成され，尚且つ継続できている場合における，目標の上方修正を試みる。	●目標に向けて努力している児童を積極的に称賛し，学級通信等で保護者へ紹介する。 ●目標の達成状況をふり返る時間を確保する。

6 キャリア・パスポートへのつながり

■中学校に向けての目標
■小学校生活のふり返り　→　■残りの小学校生活の行動変容
■自分自身の行動の柱
■自己評価によるふり返りの視点
■中学校への期待と不安　など　→　■1年間のふり返りへの活用
■中学校生活での目標設定への活用
■いままでのワーキングポートフォリオのキャリア・パスポートへの活用

●年度末のふり返りは年度毎の比較においても個人の成長を示す資料となる。
●小学校6年最後のふり返りはキャリア・パスポートを介し，中学校生活につなげたい。

中学校に向けて，いまからできることを考えよう

■ワークシートのねらい

　いよいよ中学校への進学を迎える6年生。新しいスタートへの期待と不安に気持ちが揺れていることでしょう。新しいステージの新しい自分のためにいままでの生活をふり返りつつ，新しい目標を設定することはキャリア形成を促すための基本中の基本です。本ワークシートでは，小学校生活のふり返り（過去），中学校生活へのイメージ（未来），そのためにいまできること（現在）を総合的に捉えさせ，小中の接続という，ひとつのハードルを軽やかに飛び越えさせましょう。

■ワークシート活用のポイント

○ まずは自分のよさに気づき，小学校生活で伸ばしてきた力を認識し，その力が中学校でも役に立つと理解することで，過去・現在・未来のつながりを意識できるように支援しましょう。

○ いままでのワーキングポートフォリオはふり返りに活用させましょう。

○ 「中学校についてもっと知りたいこと」の内容を中学校と共有することで，体験入学や入学説明会が直接児童に対して知りたいことを伝える機会にすることができます。

○ ふり返りに関しては，行動目標に対して「できた○」「できなかった×」の2択にすることもできますが，児童の意欲面を含めた実態に合わせて考慮する必要があります。

中学生に
なったら……

■「主体的・対話的で深い学び」へのポイント

○ 友人と過去，現在，未来を想像することはとても楽しい活動となります。

○ できるようになったことを，交流を通して友人と共有しましょう。

○ 自分のよいところや得意なところを活かした目標を設定できるよう支援しましょう。

■評価のポイント

○ 自分のよさを活かしながら，なりたい自分について考えたり，気づいたりすることが大切です。

○ 友人と過去，現在，未来について共有できることが重要です。お互いの小学校生活や中学校生活のイメージを共有させましょう。

○ 自分の決めた目標を，自信をもって他者へ伝えることができているか見取りましょう。

■こんな時間と接続したら……

○ 本ワークシートも含めて，いままで蓄積したワーキングポートフォリオは，そのまま児童一人一人のキャリア・パスポートになります。1ページずつめくりながら小学校生活をふり返り，中学校へ向けてのキャリア・パスポートを完成させてください。

中学校に向けて！

めあて／中学校生活に向けて，いまできることを考えよう

6年＿＿＿組＿＿＿番　名前＿＿＿＿＿＿＿＿＿＿＿＿＿

1　小学校生活をふり返り，中学生の自分のために「いま，できること」を考えよう。

小学校生活で自分が成長したところ

中学校でも活かせそうな力

中学校に向けて伸ばしたい力

いま，できること

中学校についてもっと知りたいと思ったこと

2　1週間取り組んでみよう　　（よくできた◎　できた○　もう少し△）

／（　）	／（　）	／（　）	／（　）	／（　）

ふりかえり

＿＿＿＿＿＿＿＿＿＿＿＿＿＿＿＿＿＿＿＿＿＿＿＿＿＿＿

＿＿＿＿＿＿＿＿＿＿＿＿＿＿＿＿＿＿＿＿＿＿＿＿＿＿＿

＿＿＿＿＿＿＿＿＿＿＿＿＿＿＿＿＿＿＿＿＿＿＿＿＿＿＿

キャリア・パスポート

～ 成長の記録 ～

平成 ・ 令和 ＿＿＿＿＿ 年度入学

名前 ＿＿＿＿＿＿＿＿＿＿＿＿＿＿＿＿＿＿＿＿＿＿＿

確認印	1年	2年	3年	4年	5年	6年
担任						
保護者						

【小学校１年生のじぶん】

しょうらいのゆめ	
１年間でたのしかったおもいで	
１年間でできるようになったこと	
先生から	
おうちのひとから	

【小学校２年生のじぶん】

しょうらいのゆめ	
1年間で楽しかった思い出	
1年間でできるようになったこと	
先生から	
おうちの人から	

【小学校３年生の自分】

しょうらいのゆめ	

今年がんばりたいこと・やってみたいこと

1年間で楽しかったこと・思い出

1年間でできるようになったこと

先生から	
おうちのひとから	

【小学校４年生の自分】

クラブ

しょうらいのゆめ	

今年がんばりたいこと・やってみたいこと

1年間で楽しかったこと・思い出

1年間でできるようになったこと

先生から

お家の人から

【小学校５年生の自分】

しょうらいの夢	

今年がんばりたいこと・やってみたいこと

1年間で楽しかったこと・思い出

1年間でできるようになったこと

自分の得意なこと・自分のよいところ

自分の苦手なこと・自分の足りないところ

♠活動の記録♠

	委員会		クラブ

①	係	②	係	③	係

先生から

お家のひとから

【小学校6年生の自分】

将来の夢	

今年がんばりたいこと・やってみたいこと

1年間で楽しかったこと・思い出

1年間でできるようになったこと

自分の得意なこと・自分のよいところ

自分の苦手なこと・自分の足りないところ

♠活動の記録♠

委員会	クラブ

① 係	② 係	③ 係

＿＿＿＿＿＿＿＿＿＿中学校の先生へのメッセージ
(自己PRや自分のがんばりたいこと，不安なことなどを書いてみよう)

先生から

お家のひとから

明日へつなぐキャリア教育ベーシックプラン

2021 年 3 月 16 日　初版第 1 刷発行

編　者　　埼玉県進路指導・キャリア教育研究会
発行者　　岩野裕一
発行所　　株式会社実業之日本社

　　　　　〒 107-0062
　　　　　東京都港区南青山 5-4-30　CoSTUME NATIONAL Aoyama Complex 2F
　　　　　電話［編集］03-3486-8320　［販売］03-6809-0495
　　　　　https://www.j-n.co.jp/
　　　　　「進路指導 net.」　https://www.j-n.co.jp/kyouiku/

印刷・製本　　大日本印刷株式会社

© The Society for Career Guidance and Career Education of Saitama Prefecture 2021, Printed in Japan.
ISBN 978-4-408-41677-9　（教育図書）